Êtes-vous bien compris?

Hélène DeSerres

Êtes-vous bien compris?

Éditions de Mortagne

Édition
Les Éditions de Mortagne
250, boul. Industriel, bureau 100
Boucherville, (Québec)
J4B 2X4

Diffusion
Tél.: (514) 641-2387
Téléc.: (514) 655-6092

Illustrations intérieures
Hélène DeSerres

Tous droits réservés
Les Éditions de Mortagne
© Copyright Ottawa 1991

Dépôt légal
Bibliothèque nationale du Québec
Bibliothèque nationale du Canada
4e trimestre 1991

ISBN: 2- 89074-424-8

1 2 3 4 5 - 91 - 95 94 93 92

Imprimé au Canada

TABLE DES MATIÈRES

INTRODUCTION

À qui s'adresse ce livre?

Le présent ouvrage peut être utile à vous, travailleurs, en vue d'améliorer vos communications avec vos patrons, vos subalternes, vos collègues; à vous, parents, qui voulez faciliter le dialogue avec vos enfants, à vous, enfants, pour mieux communiquer avec les adultes; à vous, professeurs, pour mieux comprendre vos élèves et les aider dans leur apprentissage; bref, à toute personne qui vit, travaille avec d'autres. À tout le monde, quoi!

Le préalable: la curiosité, le goût d'apprendre, le désir de parfaire ses habiletés en communication...

Certaines personnes ont un talent de communicateur. Douées de beaucoup de charisme, elles peuvent faire faire n'importe quoi à n'importe qui ou presque! Elles ont la capacité d'influencer leurs semblables sans les brusquer ni les forcer. Quand elles racontent une histoire, celle-ci semble passionnante... On voit les images, on entend les sons, parfois on sent les odeurs et on a l'impression de pouvoir goûter aux aliments. D'autres ont le don de nous mettre à l'aise et de rendre les choses faciles.

Qui d'entre nous n'a pas eu un professeur extraordinaire à un moment donné? Est-ce un don de la nature ou une technique développée? Comment avons-nous appris de ce merveilleux enseignant?

Nous vous offrons des moyens pour améliorer votre talent de communicateur, apprendre à apprendre, perfectionner votre façon de transmettre et de recevoir les messages par des techniques précises qui ont fait leurs preuves au cours des ans. Ces techniques font partie de la PROGRAMMATION NEUROLINGUISTIQUE, appelée PNL.

N'ayez pas peur de ces mots *a priori* rébarbatifs!

Petite histoire de la PNL

Durant les années 70, en Californie, se sont développées différentes thérapies dont les plus connues étaient celles de Fritz Perls, de Virginia Satir et de Milton Ericson. Ces thérapeutes qui ont mis au point leurs propres techniques de traitement obtenaient des résultats spectaculaires dans leur pratique. Bien que leurs méthodes aient été différentes, elles avaient une chose en commun: la réussite. On s'intéressait aux stratégies communes. On posait la question: «Comment sait-on ce que l'on sait?» Réponse: «Tout ce que nous savons est manifesté à travers nos représentations intérieures. Nous ne sommes pas toujours conscients que c'est là notre façon de savoir. Il s'agit d'apprendre à revivre ces sensations; à revivre l'expérience dans son état primaire, sous forme de sensation, sans l'usage des mots qui ne sont que le symbole de l'expérience. Puis, il faut apprendre aussi à décoder le sens des mots, des phrases, leur structure.

John Grinder, linguiste, commence à s'intéresser à la structure du langage, des sons. Avec son partenaire Richard Bandler, ils décomposent les phrases et les mots, observent les variations de tonalité de la voix qui généraient des réactions chez les patients de Milton Ericson et de Virginia Satir. Ils écrivent le premier livre *The Structure of Magic* en 1975, dans lequel ils expliquent le processus linguistique d'une communication entre le thérapeute et son patient. Ils s'aperçoivent que ce modèle de communication est utilisable dans tous les types d'interaction entre deux personnes.

Très vite, la PNL devient un modèle de communication et plus seulement un modèle de thérapie. Ils développent des applications dans de nouveaux contextes: le monde des affaires, la vente, l'éducation, par exemple.

À partir d'un message, ils observent la réaction, le non-verbal, la physionomie, les gestes du récepteur. Ils écoutent le ton de sa voix, ils utilisent le «feed-back» qui permet d'ajuster sa communication et son comportement selon la réaction obtenue. L'émetteur apprend à adapter son message au récepteur, que ce soit dans une relation thérapeute–client, parent–enfant ou vendeur–client. Inspirés par le travail de Virginia Satir et de Milton Ericson, ils en arrivent à l'hypothèse que personne ne possède beaucoup de ressources en lui-même et agit en tirant le meilleur parti de ses connaissances. On est loin de la présupposition traditionnelle où la personne est cataloguée comme une névrosée, une dépressive à qui on prescrit telle ou telle thérapie, accompagnée de médicaments «pour l'aider»…! Lorsqu'on considère que l'être humain est riche en ressources intérieures, la nouvelle stratégie est de lui faire découvrir ses ressources afin d'augmenter ses possibilités d'action. Ces techniques sont constamment mises à jour dans différents domaines comme le sport. On trouve des livres inspirés par ce modèle d'apprentissage pour aider les amateurs sportifs à améliorer leur façon de jouer au tennis, au golf et au basket-ball, entre autres. Ce modèle de communication et d'apprentissage étant universel, on retrouve des centres de formation en PNL dans tous les coins du monde: Mexique, France, Italie, Angleterre, Pologne, URSS, Indonésie, pour n'en nommer que quelques-uns.

La PNL offre des outils pratiques et des techniques permettant d'élaborer ses propres états d'excellence. Nous aborderons les différentes facettes de la communication et nous vous proposerons quelques outils supplémentaires pour développer vos ressources internes afin de vous rendre la vie plus agréable.

Programmation neurolinguistique (PNL): définition

La PNL est un processus multidimensionnel. Les trois facteurs essentiels qui produisent l'expérience humaine sont: le système neurologique, le langage et la programmation.

La **neurologie** est en rapport avec le cerveau et le système nerveux. Tout ce que nous apprenons et expérimentons passe par le cerveau et est codifié par les sens sous forme d'images, de sons, de sensations. Ce sont les expériences primaires. Le système nerveux étant le régulateur des pensées, des souhaits, des désirs, des compulsions et des peurs, il gère le comportement et se traduit par le langage.

Le **langage** est un système secondaire qui traduit l'expérience sensorielle emmagasinée dans le cerveau. Les mots décrivent l'expérience des sens. Le langage détermine la façon dont nous communiquons avec les autres, les choix de mots, les structures de phrases, par exemple. Les mots sont des symboles qui représentent nos sensations primaires, lesquelles représentent l'expérience.

La **programmation** définit le comportement appris, c'est-à-dire notre façon d'agir et de réagir selon ce que nous avons acquis depuis notre naissance.

Ces trois éléments sont interreliés de sorte qu'un changement chez l'un ou l'autre perturbe les deux autres. Ils sont indissociables.

Communiquer

La communication, c'est l'art de transmettre un message dans le but d'influencer l'autre. Influencer n'équivaut pas nécessairement à faire faire, mais à amener un changement, un nouveau comportement. Pour réussir, il faut prévoir ce que l'on veut dire ou obtenir. Raconter une histoire, demander une faveur, donner un ordre ou transmettre des connaissances sont quelques exemples de communication.

Identifier le but d'une communication représente souvent une difficulté chez plusieurs d'entre nous. C'est comme prendre l'avion sans destination précise. Les risques d'être déçu sont assez grands... Il s'agit de prévoir ce que nous voulons transmettre à l'autre.

Le professeur a de la matière à transmettre à ses élèves, le patron du travail à faire exécuter, le parent une multitude d'informations à transmettre à ses enfants au cours de leur vie, etc. Dans nos conversations avec les autres, sur le plan social, nous voulons nous rendre intéressants, paraître au mieux de nous-mêmes, développer une amitié...

Comment améliorer nos techniques de communication?

Nous devons nous fixer un objectif, savoir ce que nous voulons, nous donner une direction. Lorsque nous avons identifié notre but, nous nous efforçons de l'atteindre par les moyens suivants.

Premièrement, **l'acuité sensorielle,** nécessaire pour observer et mieux écouter. Avec un peu de pratique, il est étonnant et gratifiant de constater les progrès réalisés. J'aperçois plus de nuances, de changements chez l'autre, je reconnais différents tons de voix, une tension musculaire, un changement de couleur dans le visage, une respiration accélérée, détails que je ne remarquais pas auparavant.

Deuxièmement, la **flexibilité,** cette habileté à changer, à modifier son approche au besoin, ce qui sous-entend avoir plus d'une possibilité pour agir et réagir. Je me constitue une banque de ressources disponibles.

Troisièmement, la **congruence ou l'harmonie** entre le contenu du message, le ton de la voix, les gestes du corps et le non-verbal qui doivent refléter la même chose. Dans une communication, les mots ne comptent que pour 15 % du message, le ton de la voix pour 25 % et le non-verbal a une valeur de 60 %! Inutile de dire que nous avons intérêt à observer les messages non verbaux que nous émettons et recevons!

à chacun sa perception
de l'univers...

La carte n'est pas le territoire

La première présupposition en PNL est que *la carte n'est pas le territoire.*

Lorsqu'on regarde une carte routière, elle nous indique les routes possibles pour aller à un endroit donné et nous donne le nom de localités, de villes, de lacs, etc. Mais la carte *n'est pas* les routes ni les villes. Elle nous permet de savoir où se situent les lieux. C'est une vue d'ensemble, la représentation d'une certaine réalité, telle qu'elle est perçue par les cartographes. À l'époque de Galilée, le modèle de cartes géographiques différait considérablement du modèle des cartes de 1920. Aujourd'hui, nos cartes sont encore plus précises, plus vraies, en fonction des connaissances que nous avons acquises.

La géographie de la planète n'a pas changé autant que l'image conçue par les hommes au cours des siècles. Il y a donc un écart entre notre perception du monde et l'existence physique et matérielle de ce monde.

Il en est de même pour chacun de nous. Notre carte personnelle est unique, mais elle n'est qu'une représentation créée par différents facteurs que nous verrons plus loin.

Chacun a sa propre carte du monde, soit une perception unique, sans valeur de bien ou mal, de vrai ou faux. Cette carte du monde est le moyen avec lequel nous interprétons les messages reçus. Nos perceptions nous appartiennent et sont différentes de celles des autres. Par contre, les personnes qui sont les plus efficaces dans notre société sont celles dont la carte du monde permet de percevoir un grand choix de possibilités. La PNL offre des moyens pour enrichir les choix et les perceptions que nous avons.

La communication, le vocabulaire, les mots, les phrases, les gestes que nous utilisons sont des symboles qui représentent la pensée. Tout comme la carte représente les lieux, le langage représente des idées, des concepts.

La valeur d'une communication est dans la réception, non dans la présentation. Une communication ou une réaction est généralement motivée par une intention positive. Malheureusement, ce n'est pas toujours évident et nous devons apprendre à chercher l'intention sous-jacente.

Lorsque j'étais enfant, ma mère insistait pour que je mette un chapeau avant de sortir l'hiver; cela m'irritait beaucoup parce que je trouvais ce conseil tout à fait inutile. Et maintenant, c'est à mon tour de répéter ce conseil à mes enfants.

Dans les deux cas, la mère veut protéger ses enfants du froid, alors que ceux-ci la prennent pour un perroquet. Mère et enfants réagissent différemment: la première agit dans l'intérêt des enfants, et ceux-ci s'impatientent devant ce conseil si souvent répété. Que faire? La mère n'obtient aucun résultat, et se sent impuissante à convaincre ses enfants qu'elle a raison d'agir ainsi. Nous allons voir comment échapper à ce piège.

La signification d'une communication est dans la réponse qu'elle suscite

Rappelez-vous à quel âge vous avez commencé à communiquer. Vos premiers moyens sont vos pleurs pour attirer l'attention de vos parents; vers deux ou trois mois, apparaissent le sourire, les mouvements des bras et des jambes lorsque vous êtes tout excité. Vos parents traduisent et comprennent. Les étrangers, de leur côté, ne saisissent pas toujours. En somme, vous communiquez, sans l'usage des mots. Avec le temps, vous élaborez votre code personnel au moyen de gazouillements, de grimaces, de mouvements et d'imitations. Vous vous faites comprendre de plus en plus habilement!

Ce n'est que vers l'âge de quinze mois que vous commencez à utiliser la langue de votre culture, qu'on appelle la langue maternelle. Pendant cette période, comme pendant la période de gestation (à partir de quatre mois quand l'oreille est formée), vous entendez le langage de votre culture environnante. Vous observez, écoutez, entendez, enregistrez une langue avant de l'utiliser... Vous apprenez à imiter le langage de vos parents.

Malheureusement, avec le temps, vous perdez cette aptitude à communiquer dans toutes les dimensions accessibles! Vous devez donc réapprendre à observer, à écouter, à décoder les messages.

Deux types de **facteurs influencent** nos communications.

1- D'abord les **facteurs neurologiques,** c'est-à-dire la façon dont notre cerveau perçoit et traduit les messages reçus. Nos expériences sont filtrées par nos organes sensoriels. Nous les traduisons dans un système qui nous est familier: soit un système d'images, donc visuel, soit un système de sons, auditif, soit un système olfactif et gustatif, soit un système physique (sensations procurées par le corps), appelé kinesthésie. Des chercheurs en neurologie ont commencé à localiser dans le cerveau humain certains endroits où se situent les images, les sons, les odeurs. Ils ont découvert la relation physique entre ce que nous percevons et l'endroit où les cellules du cerveau entreposent ces informations.

2- **Les facteurs socio-culturels** influencent nos perceptions. Tout milieu social impose ses règles, ses codes, ses façons d'agir apprises dès l'enfance.

Toute société favorise un mode de fonctionnement. En Amérique du Nord, 70 % de la population perçoit de façon essentiellement visuelle. Nous sommes exposés à des images dès notre enfance. On apprend à oublier les sensations, les odeurs, pour se concentrer sur les images. Bébé, à neuf mois, joue dans le jardin, s'amuse follement à se remplir la bouche de terre, à sucer des cailloux au désespoir de ses parents! Dès qu'il est en mesure de se mouvoir, il veut toucher à tout. C'est sa façon d'apprendre, de découvrir l'univers dans lequel il habite. Il reconnaît les objets au toucher, on les lui enlève. Il veut goûter, on désapprouve. Il finit par comprendre qu'il NE FAUT PAS toucher, sentir, goûter. Il ne lui reste plus que le visuel, les images. On limite l'utilisation de tous ses sens. Dans les sociétés orientales, chez les Japonais, par exemple, on encourage l'utilisation des sens. Un bol en céramique sera non seulement beau pour l'œil, mais aussi doux au toucher. Un jardin, si petit soit-il, sera conçu pour l'œil, l'odorat et le toucher. À Bali, on se touche, on se colle les uns sur les autres; si vous prenez l'autobus et qu'il n'y a pas de siège disponible les gens vont s'asseoir sur vos genoux après vous avoir fait un beau sourire! Se toucher est normal et naturel chez eux, alors que, nous, nous évitons ce genre de contact à moins que ce ne soit dans un contexte amoureux.

Chez les Arabes, on reconnaît quelqu'un à son odeur, son haleine. Les hommes se promènent main dans la main, sans être homosexuels. À Athènes, j'ai observé des Grecs qui, n'étant pas d'accord, se battaient en pleine rue; mais, dès qu'ils considéraient avoir vidé leur querelle, ils se relevaient et, bras dessus bras dessous, s'en allaient prendre un verre à la taverne du coin!

En Amérique, on a assez d'espace pour éviter de se toucher, le froid exige des vêtements qui nous isolent des autres et on élimine les odeurs avec les désodorisants, les aseptisants, les désinfectants de toute sorte. On a perdu l'utilisation de son nez! On rejette tout ce qui peut être perçu comme choquant, on devient aseptisé... et visuel!

La télévision, les belles revues, la publicité nous bombardent d'images et se battent pour attirer notre attention et susciter notre intérêt. L'apparence visuelle d'un candidat dans une élection aura plus d'influence que le contenu de son discours. L'emballage d'un produit est un critère de sélection plus important que le produit lui-même. La couleur des épices est un critère plus important que leur odeur ou leur goût! Les importateurs de persil recherchent un produit d'un beau vert, uniforme. On teint les oranges pour qu'elles aient toutes la même couleur et pour les rendre soi-disant plus appétissantes à l'œil. Dans certains supermarchés, on installe une lumière bleutée pour donner à la viande un aspect plus agréable.

Le langage traduit les modèles culturels. Un mot peut avoir un tout autre sens dans deux cultures différentes. Prenons l'exemple du français parlé à Montréal et de celui parlé en France. *«La roue est slaque»*, *«As-tu passé la nuit sur la corde à linge?»*, *«La porte est barrée»*, *«Lave-toi avec ta débarbouillette»* sont des expressions inconnues d'un Parisien. Certains mots ont un sens différent selon l'endroit: *«À tantôt»* veut dire dans quelques minutes à Montréal, tandis que cette expression signifie «à cet après-midi» en France. Quand je racontais à mes cousins français que je faisais «du travail à la pige», ils me regardaient d'un air ahuri pour finalement comprendre que je travaillais comme «freelance»! Et cependant les mots «pige» et «pigiste» sont dans le dictionnaire...

Le contexte climatique engendre un vocabulaire particulier à la région. À Montréal, nous parlons de «tuques, de mitaines, de bancs de neige, de souffleuses».

Ces exemples sont le reflet d'une forme de pensée de chacune de ces cultures. Les livres d'un auteur québecois comme Michel Tremblay ne sont pas faciles à comprendre pour un Européen n'ayant jamais vécu au Québec.

On se limite souvent aux mots dans leur sens le plus général, sans en décoder le sens, le contexte, ou la façon dont ils sont utilisés!

Nous allons tenter de réapprendre à décoder un message tout en nous rappelant que *les mots ne sont pas la personne mais un code d'accès.*

Absence de rapport

entre ces deux femmes

LE LANGAGE DU CORPS

Comment favoriser la communication dès le premier contact?

N'avez-vous jamais observé des couples amoureux au restaurant? Ils sont faciles à reconnaître par leurs gestes sans paroles. Ils sont le miroir l'un de l'autre. Et les couples désunis? Tout aussi facile, ils ne sont pas du tout en harmonie l'un avec l'autre. Leurs mouvements ne s'accordent pas, il n'y a pas de lien invisible pour les unir. L'habileté à déceler le type de relation projeté par ces deux couples n'est pas de la télépathie ce n'est que de l'observation. À partir du moment où l'on comprend la puissance du message non verbal, on peut s'en servir pour faciliter les contacts avec les autres.

Lorsque l'on se trouve pour la première fois en présence de quelqu'un, il faut d'abord créer un rapport, c'est-à-dire un lien, un climat de confiance.

Si la personne parle la même langue que moi, c'est un point de départ. Sinon, il faut trouver une langue commune. Il en est de même pour la communication non verbale qui compte pour plus de 60 % du message. Inconsciemment, les corps se parlent, s'harmonisent ou sont en désaccord. La relation se crée.

Être en rapport l'un avec l'autre requiert des gestes qui se reflètent, qui sont le miroir de l'autre.

Tout comme deux personnes qui dansent ensemble.

Dès les premiers moments d'une rencontre, je dois m'harmoniser avec mon partenaire afin de m'ajuster à son fonctionnement, comme on fait pour la danse.

On veut se mouvoir au même rythme. Si je danse sur un tango, il me sera difficile de danser avec quelqu'un qui danse le rock and roll. Nous devons nous ajuster à la musique (contexte), et à l'un et l'autre, sans nous marcher sur les pieds.

Pour ce faire, je commence par accorder mon rythme au sien. J'adapte mes gestes aux siens: si mon interlocuteur est assis, je m'assois, s'il tape du pied, je tape du pied (ne vous en faites pas, il ne s'en aperçoit pas...), s'il avance sur sa chaise, je fais de même. La personne recule, je recule...

C'est ce que l'on appelle «faire le miroir». Inconsciemment, nous percevons les messages non verbaux de façon plus prononcée que les mots, d'où l'importance d'adapter notre non-verbal.

S'il me parle lentement, je m'ajuste. S'il parle de façon saccadée, j'accorde ma respiration à la sienne, je ne suis pas obligée de parler de façon saccadée! De cette façon, inconsciemment, il sentira que je suis sur sa longueur d'ondes. Par exemple, si je suis très calme et que je suis face à une personne très énervée, c'est à moi de m'ajuster. En accélérant mon débit par exemple. Je ne veux pas dire de m'énerver moi aussi! Je ne parle pas une langue différente de mon interlocuteur si je désire communiquer avec lui. C'est la même chose avec le corps.

Une fois que je le sens réceptif, je ralentis mon débit, je modifie mes gestes, et si l'autre est arrivé sur ma longueur d'ondes, il va se calmer et faire le miroir de MES gestes, à son insu, comme par magie! Vous me direz peut-être que je joue à l'hypocrite en imitant l'autre et en n'étant pas naturelle ou encore que je fais de la manipulation. C'est le danger chez quelqu'un qui en abuse et qui ne sait pas doser ses gestes. Toute communication deviendrait alors de la manipulation! Notre objectif est de vous donner des moyens supplémentaires pour améliorer la qualité de vos communications, ce qui aura un effet sur la qualité de vos relations avec les autres.

Le but de faire le miroir est de créér un bon rapport avec l'autre, de générer la confiance, d'établir un certain «charisme» afin de favoriser le contact. Une fois ce rapport établi, il n'y a plus lieu d'y penser si ce n'est pour contrôler si les deux partenaires sont toujours au même niveau d'intérêt.

Lorsque nous réussissons cela, il devient beaucoup plus facile de communiquer avec une autre personne, connue ou non.

Exercice:

Lorsque vous vous sentirez très en confiance dans un contexte de dialogue avec quelqu'un, observez ses gestes, et faites le miroir à son insu. OSEZ!

L'autre ne s'en apercevra pas si vous agissez comme si c'était ce que vous faites tout le temps. Attention au fou rire, vous allez vous trahir!

Pour adapter votre respiration à celle de votre interlocuteur, observez le mouvement de ses épaules. C'est plus facile si l'autre ne porte pas de vêtements épais. Avec de la pratique, cela deviendra plus facile. Écoutez le rythme de sa voix, vous constaterez que sa vitesse est proportionnelle à la vitesse de sa respiration.

Apprendre à observer et à agir en même temps nécessite un peu de pratique au même titre qu'apprendre une nouvelle langue. Mais c'est facile et surtout amusant. Et les avantages sont très intéressants!

L'habit ne fait pas le moine, mais...

Imaginez un plombier qui vient réparer votre tuyauterie, vêtu d'un costume trois pièces, chemise blanche et cravate en soie... Ou encore que votre directeur de banque vous accueille dans son bureau vêtu d'une chemise noire, d'une cravate blanche et de verres fumés... Le rôle de chacun crée des attentes vestimentaires.

Elles établissent sa crédibilité dès le premier contact. La première impression influe sur le rapport que nous aurons avec l'autre, même si cette personne «gagne à être connue». On n'a pas toujours l'occasion ou l'envie de prendre le temps de connaître l'autre plus à fond et de passer outre la première impression négative.

Une amie agent immobilier à la campagne avait beaucoup de succès avec les cultivateurs qui lui accordaient facilement le mandat de vendre leur ferme. Sa concurrente n'avait pas la même facilité à obtenir des mandats de ventes. Pourquoi?

Pour visiter les cultivateurs, mon amie portait un jean, un chandail et des bottes de caoutchouc. Assise dans le foin à l'intérieur de la grange, elle parlait quota de lait ou reproduction pendant que le cultivateur trayait ses vaches. Sa concurrente se présentait chez le vendeur potentiel vêtue d'une jupe blanche, portant des talons hauts et couverte de bijoux. Elle ne se rendait pas beaucoup plus loin que la porte…

Le miroir s'applique aussi au vêtement. Mon amie était crédible aux yeux du vendeur, il pouvait croire qu'elle saurait mettre sa propriété en valeur et la vendre au meilleur prix. Il appréciait le fait qu'elle s'habille comme lui. Le premier contact devenait facile, et la méfiance du vendeur tombait assez rapidement. Il méprisait l'autre habillée style «de ville»; il ne lui faisait pas confiance d'emblée. Par contre, il n'eut pas fallu que mon amie s'habille en style fermier pour aller chercher des inscriptions en ville!

La façon dont on s'habille reflète ce que l'on est à ce moment-là. Aux États-Unis, ces dernières années, on a écrit un code vestimentaire pour aider au succès des rencontres entre individus, ou dans le milieu de travail. Le principe en est bien simple: selon le «costume» que nous portons, nous dégageons plus ou moins de crédibilité. Cette théorie propose donc de porter des vêtements qui représentent le succès. Basé sur la façon dont s'habillent un certain nombre de personnes qui ont réussi dans la vie, on nous suggère de les imiter dans notre tenue vestimentaire dans l'espoir de réussir, nous aussi. On se sert des gens à succès comme modèle. On a beaucoup stéréotypé, sans considérer le contexte culturel. J'ai pu observer des gens habillés selon la «recette», mais on pouvait reconnaître le «déguisement» parce qu'il n'était pas adapté à la situation de cette personne. Le modèle était mal utilisé. Malheureusement, les modèles féminins étant rares, on a habillé les femmes «à succès» comme des hommes: tailleur rigide, couleur sobre, chemisier blanc, cravate presque... Je ne suis pas certaine que ces déguisements aient assuré la réussite de ceux qui les ont adoptés, mais ils les ont sûrement aidés à s'adapter à leur milieu de travail.

Le vêtement doit, jusqu'à un certain point, refléter la culture dans laquelle on se trouve. Chaque situation requiert son style. La vie n'est qu'une pièce de théatre où l'on est appelé à jouer différents rôles, et le costume doit être adapté à ces rôles. J'ai mes différents «déguisements» selon les circonstances. Pour rencontrer un client dans l'espoir de faire une vente, je me déguise en «madame», tout comme lorsque je fais de la formation en gestion à des cadres. Par contre, lorsque je travaille en usine, les participants m'ont déjà dit qu'ils apprécient lorsque je me «déguise» en travailleur, c'est-à-dire souliers plats, pantalons, chemise sport.

Cette adaptation à l'environnement facilite l'instauration d'une certaine complicité. Qui n'a pas observé en voyage, les touristes qui détonnent dans une foule? En Italie, il y a quelques années, la femme devait porter une robe à manches longues, un voile ou un chapeau, pour entrer dans une église. Les touristes en *short et en t-shirt* sans manches étaient fort mal vus des résidents. Dès leur entrée dans un restaurant, le maître d'hôtel savait immédiatement à qui il avait affaire, il pouvait facilement repérer la nationalité de ce genre de touristes. Par contre, les touristes qui s'habillent dans le style des résidents sont plus respectés partout où ils vont.

Bref, le non-verbal, les gestes que nous faisons, la façon dont on est habillé ont une influence sur la qualité des rapports dès le premier contact avec l'autre. Il est important d'être attentif à ce genre de détails. Rappelons ce que nous avons déjà dit de l'importance du non-verbal dans la communication.

C'est le message le plus fort qui passe, et nous ignorons la puissance de son impact.

**Tout comportement est une communication.
Il est impossible de ne PAS communiquer!**

Le langage traduit notre mode de perception

À écouter discuter Sophie, Georges et Zoé, on a l'impression qu'ils parlent de choses différentes. Lorsqu'ils m'ont décrit l'auberge où ils ont passé leurs vacances, on aurait cru qu'ils n'étaient pas au même endroit! Il devient intéressant d'apprendre à décoder le premier système de représentation sélectionné par chaque personne.

«Tu aurais dû **voir** l'auberge où nous étions installés. Meublée d'antiquités en pin, la chambre était **peinte en bleu ciel.** Les rideaux assortis au couvre-lit fleuri de toute **couleur. Le soleil éclairait** la chambre le midi quand je venais me changer...», m'explique Sophie.

Sa perception du monde est essentiellement visuelle.

Elle me décrira ses aventures en fonction de ce qu'elle a observé. Son vocabulaire est dominé par des mots ayant trait à la vision.

Sa garde-robe est composée d'éléments de couleurs bien assorties. Son appartement clair et coloré tient compte de l'agencement des formes, des couleurs. Tout est calculé pour le plaisir de l'œil. La décoration la fascine.

Georges utilise une autre méthode pour décrire son expérience: «L'auberge où nous logions était des plus **chaleureuses, nous ressentions le calme et la paix.** Notre grande chambre était décorée de meubles **douillets et confortables.**»

Son choix de mots traduit sa perception du monde en termes de sensations, de ce qu'il ressent. Son mode de fonctionnement préféré est de type kinesthésique. Sensible à une ambiance, à un climat, il parle en termes de chaleur, de froid, de confort. Georges achète des vêtements en fonction des textures, du confort d'abord. La mode lui importe peu, les couleurs sont parfois mal assorties, mais il s'en fiche éperdument.

Quant à Zoé, sa perception du monde se fait en fonction des sons.

«Ce que j'ai particulièrement apprécié était **le silence. Pas de bruit** de ville, seulement **le chant** des oiseaux le matin. Les tapis épais amortissaient les **voix.**

Dans la salle à manger, une **douce musique** de fond amortissait les **bruits** de vaisselle et d'ustensiles...»

Zoé aime apprendre avec des cassettes. Elle s'achète des livres racontés sur bandes qu'elle écoute dans son auto. Elle préfère la radio aux jounaux. Elle investira dans une chaîne stéréo de première qualité au détriment d'un beau divan. Son salon est décoré de deux énormes haut-parleurs qui occupent toute la place. Pas de tableaux ni de divan, seulement un fauteuil stratégiquement placé pour écouter de la musique. L'apparence visuelle compte très peu tout comme le confort, en autant qu'il y ait de beaux sons dans son entourage.

Nos trois amis perçoivent l'univers chacun selon leur mode préféré. Il n'est pas dit que Zoé ne perçoive pas de façon visuelle ou qu'elle ne ressente rien, pas plus que Sophie n'est sourde ou Georges aveugle! En réalité, parmi les trois modes d'accès, nous en avons tous un dominant et les autres jouent un rôle secondaire dans notre façon de percevoir les choses.

D'autres personnes choisissent le mode olfactif. Une de mes tantes avait le nez si fin qu'elle pouvait déceler ce que mon oncle avait mangé le midi au restaurant! Il avait mangé de l'ail, elle le savait dès son entrée dans la maison! Inutile de dire que ma pauvre cousine avait bien du mal à camoufler l'odeur des bières bues avec des amis alors qu'elle était censée étudier! Les gastronomes et les amateurs de vin ont un goût très développé. Ils sont capables de reconstituer une recette, par exemple. J'aime bien aller au restaurant avec ce type de personne: si je goûte un nouveau mets, elle peut m'en faire l'analyse ou le servir chez elle la semaine suivante.

Chacun de nous, s'il le désire, peut élargir son champ de perception en développant les autres modes. Un peu de pratique et d'observation permettent d'enrichir notre univers.

Applications

La littérature nous sert de modèle quant à l'utilisation de divers systèmes. Les descriptions qui nous accrochent sont souvent écrites dans un langage sensoriel qui nous permet de «nous y croire».

Émile Zola, par exemple, nous fait voir les images de façon très claire: «*[...] En face de cette marchande, se trouvait une boutique dont les boiseries d'un vert bouteille suaient l'humidité par toutes ses fentes. L'enseigne, faite d'une planche étroite et longue, portait, en lettres noires, le mot Mercerie [...] À droite et à gauche s'enfonçaient des vitrines profondes, tapissées de papier bleu [...]*»

Thérèse Raquin

Dans le livre de Patrick Suskind, *Le parfum*, les descriptions nous font sentir les odeurs de la ville de Paris au XVIIIe siècle:

«*[...] les pièces d'habitation mal aérées puaient la pousssière renfermée, les chambres à coucher puaient les draps graisseux, les courtepointes moites et le remugle âcre des pots de chambre [...]*» (page 9). Lorsqu'il s'agit de démasquer le mystérieux parfum: «*Nous allons sentir, comme la hache fend la souche et la débite en bûchettes, notre nez va scinder son parfum en tous ses composants [...]*» (page 81)

Dans *L'Oursiade*, Antonine Maillet nous donne quant à elle des descriptions auditives: «*À pas d'ours, c'est-à-dire souple et feutré, il avance vers l'épicentre du son d'où s'élève une cacophonie de voix criardes et nerveuses embrouillées par le sifflement d'un vent de flammes [...]*»

Dans le même livre, on ressent la frustration kinesthésique de l'ourse incapable de dormir: «*L'oursagénaire se tourne et se retourne, cherche à détacher sa croupe de ses flancs, s'embrouille la queue dans les pattes et les pattes dans le poil du ventre: elle n'arrive pas à dormir... Ce nid-là est trop petit, trop bas, trop étroit, trop n'importe quoi... trop creux... ça manque d'air.*»

EXERCICE: Imaginez que vous venez de gagner à la loterie, et vous en profitez pour vous offrir un nouveau véhicule.

Décrivez les caractéristiques importantes pour vous et justifiez votre choix.

_____

_____

_____

_____

_____

_____

_____

_____

_____

Soulignez en rouge les mots VISUELS: couleur, forme...; en vert les mots AUDITIFS: silence, ronronnement...; en bleu le KINESTHÉSIQUE: confort, moelleux... Vous avez peu être utilisé des mots de la famille du gustatif–olfactif, des odeurs et des goûts. Vous pouvez les énumérer à part ou les inclure dans le kinesthésique.

Comptez les mots dans chaque série et tirez vos conclusions! Il ne s'agit que d'un échantillon qui peut vous donner des indices intéressants.

Bilan: Quel est votre système prédominant?

_____

JEU

Voici un jeu qui permet de stimuler son écoute et son vocabulaire dans les trois systèmes. Il se joue seul ou en groupe. À partir d'un mot donné, on enchaîne avec n'importe quel mot issu d'un autre mode de perception, on continue dans un autre mode, toujours en variant. On peut commencer avec un mot visuel, suivi d'un mot auditif, d'un kinesthésique, et même si on veut, d'un gustatif–olfactif.

Instructions: On commence avec un premier mot, par exemple, *la mer*.

Par association d'idées, je donne un mot dans le code VISUEL: *bleue*; suivi de l'AUDITIF: *rythme;* suivi du KINESTHÉSIQUE: *mouillée*.

Il n'est pas nécessaire de rester dans le thème initial. Ce n'était que le point de départ. Une fois démarré, ce qui compte, c'est de suivre la séquence VAK sans se préoccuper de la logique des associations:

visuel: *clair*; auditif: *roucoulement*; kinesthésique: *doux*;

V: *blanc*, A: *grelots,* K: *froid…*

On peut y ajouter des mots dans le mode gustatif et olfactif (odeurs).

Voici quelques exemples de mots qui se complètent mutuellement dans chaque système.

VISUEL	AUDITIF	KINESTHÉSIQUE	GUSTATIF – OLFACTIF
image	mélodie	sensation	odeur
clair	pur	frais	goût
brillant	mélodieux	soutenu	amer
couleur	lyrique		acide
		dissonant	sucré
		lourd	esthétique
rythmique			parfumé
montrer	noter	pointer	flairer
voir	entendre	ressentir	renifler
spectacle	concert	expérience	sentir
reconnaître	accorder	mettre le doigt sur…	
clarifier	préciser	ajuster	
cataloguer	énumérer	peser	goûter
obscur	sourd	creux	aigre
texte	sermon		produit
diplôme	éloge		
dessin	musique	jeu	
	carillon	chatoyant	frais
image	timbre		
exposition	harmonie	délicat	
	gamme		
	interpréter	flatter	
	dialoguer	couler	
	formuler	accompagner	
	réciter	assimiler	respirer
		restaurer	

Sans être synonymes, ces mots sont de types semblables.

Constatation: souvent il nous est plus facile de trouver les mots dans notre système dominant, et difficile d'avoir du vocabulaire dans notre système le moins utilisé. Cet exercice nous apprend à utiliser et à entendre les mots des autres systèmes.

En bref

Nous avons tous un code d'accès préféré avec lequel nous percevons l'univers. Certains parmi nous *voient* ce qui se passe, d'autres *entendent* alors que certains *goûtent* et *hument*, puis finalement d'autres *ressentent* les choses.

Les mots que nous employons sont issus d'un choix conscient ou non. Ces mots révèlent à un interlocuteur averti le mode par lequel nous percevons l'univers. Ainsi, il devient utile de noter le système utilisé par notre interlocuteur si on veut «parler la même langue». Combien de malentendus sont provoqués par une perception différente de la même chose!

Une personne de type «visuel» aura tendance à utiliser un choix de mots représentant des images, de la lumière, de la clarté. Des mots en relation avec l'utilisation de ses yeux. «L'auditive» parle en termes de sons, de bruits, de musique et la «kinesthésique» ressent les choses.

Dans nos conversations, si nous «traduisons» ce que nous avons à dire dans le système de l'autre, nous augmentons les chances de nous faire comprendre. L'interlocuteur saisit ce que nous avons à dire, sans avoir besoin de traduire. De plus, il apprécie la facilité avec laquelle nous communiquons.

En développant ces nouvelles perceptions, nous pouvons augmenter notre faculté de percevoir dans les autres modes.

Mouvements des yeux et systèmes de représentation

En plus d'écouter le vocabulaire des autres, on peut observer la physionomie, qui traduit le comportement perceptuel de l'autre. N'avez-vous jamais observé les mouvements des yeux lorsque quelqu'un vous raconte un événement? Les yeux montent au plafond, vont vers la gauche, la droite, descendent; ils sont en mouvement. Contrairement à la croyance populaire, il ne s'agit pas de fuite du regard. Bien au contraire, le cerveau cherche à retrouver les renseignements entreposés en mémoire ou à inventer et, tout naturellement, les yeux suivent.

Des chercheurs ont observé des phénomènes universels d'abord chez des enfants, puis chez des patients en thérapie, de nombreux adultes. Quels que soient la culture, la langue, l'environnement, le mode de fonctionnement physiologique est le même; les êtres humains perçoivent l'univers de façon visuelle, auditive ou kinesthésique et le mouvement des yeux le démontre.

Dans une émission télévisée, trois invités doivent, à tour de rôle, raconter deux anecdotes vécues et un mensonge. Le but du jeu consiste à reconnaître les vérités et à dépister le mensonge. Certains sont meilleurs menteurs que d'autres! Chacun a sa stratégie pour raconter ses histoires, mais après quelques questions sur chaque anecdote, le naturel revient au galop et la physionomie de l'invité le trahit, si on sait bien le décoder.

Par le mouvement des yeux, il m'arrive de reconnaître si l'invité parle d'un événement qui lui est bel et bien arrivé ou s'il invente son anecdote, et entretient son mensonge! Je commence par le calibrer en début d'émission lorsque l'animateur le présente et parle de ses activités. Je sais très bien que lorsqu'il parle d'un succès qu'il a obtenu récemment, c'est vrai. J'observe de quel côté s'orientent ses yeux quand il raconte sa «vérité». Puis, au fur et à mesure que la conversation avance, j'observe le mouvement de ses yeux. Enfin, lorsqu'il raconte ses deux vérités et son mensonge, je compare. À ce moment précis, il se force pour paraître neutre, mais ce sont ses réponses aux questions qui sont les plus révélatrices...

Le truc?

Lorsqu'une personne cherche une image, [ses yeux montent vers la droite (face à moi)] pour retrouver un souvenir, vers la droite pour chercher un renseignement (visuel). Si c'est le souvenir de la voix de quelqu'un, une musique ou tout autre son,

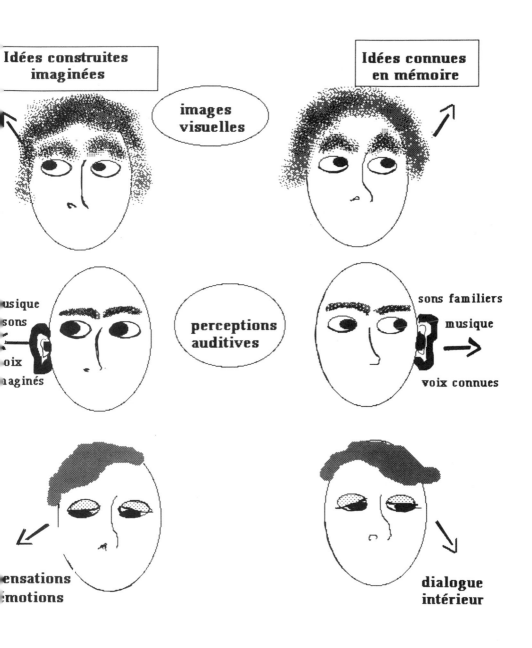

Idées construites imaginées

Idées connues en mémoire

images visuelles

musique
sons
voix
imaginés

perceptions auditives

sons familiers
musique
voix connues

sensations
émotions

dialogue intérieur

Mouvements des yeux selon les perceptions de chacun

ses yeux restent au milieu et vont vers la droite pour se rappeler, vers la gauche pour construire un message (auditif). Enfin, lorsque ses yeux s'abaissent vers le bas, à gauche (kinesthésique), la personne ressent une émotion et si ses yeux vont en bas, à droite, elle se parle à elle-même, ce qu'on appelle le dialogue intérieur (voir illustration de la page précédente).

Il est possible que certaines personnes inversent la droite et la gauche dans leur recherche de renseignements. Il s'agit d'apprendre à les calibrer. On observe où vont les yeux lorsqu'elles parlent... Calibrer est le moyen de faire le test pour connaître les codes de l'autre. On le fait tout naturellement dans une conversation lorsque la personne nous raconte ce qu'elle a vu hier, ce qu'elle aimerait voir si elle devait fabriquer un contexte, s'acheter un vêtement, par exemple. Lorsque la personne se rappelle une pièce de musique ou la voix d'une personne aimée, on observe où vont ses yeux à ce moment précis de sorte qu'on identifie ses points de repère: on remarque de quel côté vont ses yeux lorsqu'elle évoque un souvenir, et quelle est leur direction quand elle crée ou imagine une information. On fait de même pour chacun des modes: le visuel, l'auditif, le dialogue intérieur et le kinesthésique.

Quand on sait reconnaître le mouvement des yeux, on peut savoir si notre interlocuteur cherche des images, des sons ou des sensations pour nous répondre. On apprend à identifier son code et on peut lui répondre, si on le désire, dans un mode qui lui est familier. Cette personne aura l'impression qu'on est sur la même longueur d'ondes qu'elle et le dialogue sera plus facile entre nous.

Parallèlement à l'observation du mouvement des yeux, on peut apprendre à observer d'autres signes: la voix, la respiration et les changements subtils de coloration dans le visage.

La perception visuelle

Tout comme Sophie qui préfère parler en termes d'images, de couleurs, d'esthétique, la personne de type visuel entrepose surtout des images en mémoire. Ses souvenirs sont comme un album de photos où elle retrouve ses renseignements. Son timbre de voix est plutôt aigu, elle a tendance à parler rapidement, sa respiration est courte, assez haute dans la poitrine. On peut remarquer une tension au niveau des épaules et du cou, car pour cette personne, ce resserrement lui donne l'impression de voir plus clairement ses images.

Au travail, elle préfère voir ou lire un document que de recevoir un message téléphoniqe ou verbal. Un document est plus «vrai» s'il est écrit. Les personnes qui ont un patron visuel ont intérêt à soumettre des rapports écrits de préférence à des rencontres sans documents écrits.

Dans notre culture occidentale, il semblerait que près de 70 % des gens préfèrent le mode visuel, d'où le succès des campagnes de publicité à la télévision, dans les revues ou sur les panneaux-réclames.

La perception auditive

Zoé, notre auditive du groupe, se reconnaît à la façon dont elle utilise sa voix. Elle a le don de la moduler à tel point que l'on dirait parfois qu'elle chante. Sa respiration se situe plus bas que celle de la visuelle, car les personnes de type auditif ont besoin de plus d'oxygène pour parler de façon rythmée. Zoé est une championne du téléphone et peut reconnaître un état d'âme par la voix. Elle rêve de faire carrière à la radio. La personne auditive travaille souvent dans un milieu musical, au téléphone ou avec de l'équipement qui émet des sons. Elle évalue en fonction de ce qu'elle entend. Un moteur qui ne ronronne pas correctement, un renseignement entendu à la radio sera plus crédible que celui lu dans le journal. Son patron aura de meilleurs résultats en lui disant ce qu'il veut plutôt qu'en lui envoyant une note.

Par contre, pour parvenir à une décision, il lui arrive de prendre un temps interminable parce que sa voix intérieure tourne en rond, en dialogue interne. Un jour, Zoé me racontait qu'elle n'arrivait pas à décider si elle irait au carnaval de Québec ou non. Elle ne cessait de peser le pour et le contre dans sa tête. Alors, je lui demandai de se faire une image de la scène au carnaval, se voyant mêlée à la foule. Puis, je lui proposai de ressentir cette image. En deux temps, trois mouvements, ses yeux se sont agrandis, elle s'est mise à sourire. J'ai compris qu'elle avait choisi d'y aller.

Pour la faire sortir de ce cercle vicieux, il faut lui proposer de penser à la solution de son problème en termes d'images et de sensations, c'est-à-dire changer son mode de perception.

La perception kinesthésique

Georges se reconnaît comme kinesthésique à sa voix grave, son tempo lent et les silences dans les conversations qui lui permettent de vérifier ce qu'il ressent à propos du sujet discuté. Il est toujours en contact avec ses émotions, aime tout évaluer en termes de chaleur, de froid, de tiédeur. Sa respiration profonde lui permet d'emmagasiner les sensations qui lui arrivent.

Le type kinesthésique choisit un travail où il doit toucher, palper, agir. Il évalue en fonction de sensations.

L'enfant essentiellement kinesthésique éprouve des difficultés à l'école si les apprentissages sont transmis de façon visuelle ou auditive seulement. S'il n'obtient pas de résultats satisfaisants, il se décourage et abandonne. Ce n'est pas un manque d'intelligence, mais un mauvais code d'apprentissage. J'ai rencontré des gens ayant abandonné l'école, faute de motivation et d'intérêt, et se sont retrouvés à faire un travail manuel. Certains d'entre eux auraient pu avoir un choix plus large dans leur recherche d'un travail, mais sans diplôme scolaire, les options étaient limitées...

Depuis l'ère de l'audio-visuel et des ordinateurs, l'enfant kinesthésique réussit mieux parce qu'il peut toucher le matériel et créer lui-même des images à l'écran. Ces enfants adorent les projets de bricolage, d'expéditions, de sorties sportives. Ils se sentent partie prenante.

Dans notre société, les types kinesthésiques sont en minorité, représentant à peu près 15 % de la population. On retrouve plus de kinesthésiques dans d'autres cultures, tels les Balinais qui apprennent en imitant. Que ce soit la danse ou la façon de sculter, le maître fera modeler les gestes jusqu'à ce que l'élève réussisse à faire comme lui. Après avoir maîtrisé les techniques, l'étudiant pourra agir à sa guise. Cette forme d'apprentissage est très kinesthésique, tout comme au Moyen Âge, en Europe, où on apprenait les techniques d'art, de menuiserie ou de peinture en travaillant avec les maîtres dans un atelier. On ne se servait pas de livres pour apprendre, on modelait.

En bref

Plus on enrichit l'apprentissage en incluant des techniques visuelles, auditives et kinesthésiques, plus on consolide la connaissance. L'usage de plusieurs sens permet de percevoir l'univers sous plusieurs formes.

⚓ LES ANCRAGES

Tout comme un bateau a besoin d'une ancre pour rester au mouillage, nous, les humains, avons différentes sortes d'ancres dans nos vies.

Qu'est-ce qu'une ancre?

C'est un point de repère automatique enregistré dans nos cellules souvent à notre insu. Notre mémoire agit continuellement comme un magnétophone sans faire aucune sélection de matériel. Tout y est inscrit: les souvenirs agréables comme les souvenirs pénibles. Un mot, une image, une sensation réactivée peut recréer la sensation expérimentée au moment de l'événement.

Un ancrage s'installe à l'instant où se crée une combinaison d'éléments: une émotion forte, positive ou négative, combinée à un système de représentation visuel (image, couleur), auditif (son, musique), olfactif (odeur, parfum) ou kinesthésique (texture, chaleur), sans lien logique, sans relation... Une image jumelée à une sensation forte peut devenir un ancrage. Chaque fois que nous revoyons cette image, la sensation revient automatiquement.

On peut installer une ou des ancres, selon nos besoins, et on peut aider une autre personne à se fabriquer son ancre, à l'installer et à la tester. L'essentiel est de faire appel à nos sens.

⚓ Ancrages personnels, culturels, sociaux

Citons quelques exemples inspirés de la vie courante.

⚓ 𝄞 Qui de nous n'a pas associé une chanson à une émotion? Notre première danse «collée»… Les couples écoutant ensemble une chanson qu'ils associent à leur amour, associeront toujours cette chanson à cet amour. Plusieurs années peuvent s'écouler et, à un moment inattendu, LA chanson est jouée à la radio… et tous les beaux souvenirs réapparaissent, «comme si c'était hier!».

À un moment donné de ma vie, je vivais dans une maison près d'un ruisseau. L'hiver, l'eau étant gelée, il n'y avait que le silence et un sentiment de solitude. Mais, dès le printemps, l'eau recommençait à descendre bruyamment et dévalait la pente, m'avertissant du retour imminent de l'été. Pendant les huit mois durant lesquels j'entendais l'eau couler, il me semblait que j'avais une compagne fidèle près de moi. L'hiver, elle me manquait. Aujourd'hui, dix ans plus tard, si j'entends la musique d'un ruisseau, je suis automatiquement transportée à cette période de ma vie, avec tous les souvenirs qui s'y rattachent. La distance-temps n'a plus d'effet. Les sensations sont instantanées.

⚓ 👁 👁 Une amie, Sophie, était amoureuse d'un homme vivant dans une autre ville. Ils se voyaient rarement, mais s'écrivaient et se téléphonaient souvent. À la Saint-Valentin, le 14 février, il lui envoyait toujours des roses jaunes. La relation s'est estompée avec le temps, mais elle me dit que chaque fois qu'elle voit des roses jaunes, elle revit le plaisir de recevoir les roses de son amoureux lointain.

Ma grand-mère maternelle refusait de porter des vêtements verts et n'appréciait pas que je lui rende visite habillée en vert. Je ne comprenais pas ce drôle de caprice, tant que je n'ai pas su que le jour où son père est mort subitement, elle avait seize ans et portait du vert. Cette couleur est restée un ancrage négatif toute sa vie.

Elle est morte à quatre-vingt-sept ans, détestant toujours le vert!

⚓ ☞ Louise, une fille très kinesthésique, n'achète que des dessous en soie. Ne lui offrez pas du synthétique, si beau soit-il, elle ne le portera jamais! Ses critères d'achat sont d'abord la texture. Viennent ensuite l'apparence, le style, la couleur. Elle a développé une aversion pour le polyester parce que, petite, elle avait une blouse en polyester qu'elle aimait bien jusqu'au jour où, portant cette blouse, elle a eu avec son copain une dispute terrible qui se termina en rupture. Elle n'a jamais plus voulu porter cette blouse ni aucun vêtement ayant la même texture. La sensation du tissu est restée associée à la perte de son ami. Cela lui rappelle encore de mauvais souvenirs, quinze ans plus tard.

Il existe de nombreux ancrages sociaux auxquels nous sommes si habitués, qu'ils agissent à notre insu. Un feu rouge est un ancrage d'arrêt, un feu vert, de départ.

Un jour, à Trois-Rivières, je donnais une session de formation à un groupe de Norvégiens, récemment arrivés au pays. Ils me racontèrent qu'ils étaient surpris par notre système de feux de circulation. Moi, je ne comprenais pas. Ils pensaient aussi que nous n'étions pas très disciplinés en voiture, et certains ont failli avoir de graves accidents, jusqu'au moment où ils découvrirent les feux de circulation suspendus à des fils au-dessus de l'intersection. Ils les cherchaient au niveau des yeux, sur un poteau, qu'ils ne trouvaient évidemment pas.

Il faut donc savoir où regarder pour respecter ces feux. Nous qui sommes habitués à ce système, n'y prêtons pas attention. C'est automatique pour nous. Pas pour des étrangers habitués à chercher sur un poteau planté sur le trottoir. Leur ancrage est différent du nôtre.

Si jamais vous vous promenez en Angleterre, vous aurez l'occasion de confronter vos ancrages. Nous conduisons à droite de la route, eux, à gauche. Pour traverser une rue, il faut d'abord regarder à gauche, puis à droite, au contraire d'ici.

La première neige, pour certains, c'est la joie, le début des sports d'hiver; les jeux à l'extérieur, au froid, le plaisir de se retrouver en famille ou en groupe les fins de semaine. Pour d'autres, c'est la fin du golf. C'est la saison où l'on souffre du froid, où l'on doit s'enfermer pendant six mois! Le même stimulus, la neige, est devenu un ancrage bien différent pour les uns et les autres.

Chaque culture a ses codes qui sont des ancrages particuliers provoquant un état différent

Le monde de la publicité est le milieu par excellence qui cultive et entretient nos ancrages. Le principe même de la publicité est de créer une stimulation de façon à produire une association involontaire entre une image, un son et le produit à vendre. On crée un état de plaisir, ou de confort, ou de luxe, par exemple. Au Québec, les compagnies de bière associent le plaisir, le divertissement, à leur marque. Certaines compagnies américaines associent à la leur la satisfaction du travail bien fait, une récompense. Les deux visent un état de bien-être associé au produit, de façon que le consommateur recherche cet état en choisissant telle ou telle marque de bière.

L'atmosphère de vacances est présentée par des images de mer et de palmiers, accompagnées de musique enjouée pour le Club Med. «Haut les mains... donne-moi ton cœur... quinze secondes...» Dès que nous entendons cet air, nous associons plaisir, vavances, Club Med. Ancrages auditif et visuel créés de toute pièce pour vendre.

Nos souvenirs de voyage sous forme de bibelots, de tableaux, de vêtements ou même de photos plus ou mois réussies sont nos ancrages personnels. On recherche la continuité de la «sensation» vacances.

Mon amie Sophie, la voyageuse, s'imagine être une photographe digne des plus grandes revues de voyage. Elle prend des quantités industrielles de photos souvenirs. Lorsqu'elle me les montre bien fièrement, je ne suis pas très impressionnée par ses talents artistiques. Des images de plage, ou de monuments, ne provoquent pas chez moi la réaction qu'elle aimerait. Je n'ai pas d'association émotive à ces photos. Je ne vois pas l'intérêt. Alors qu'à chaque photo, Sophie, elle, revit des épisodes de son aventure.

Pour elle, chaque photo est un ancrage, pour moi, ce ne sont que des images.

⚓ Créer ses propres ancrages

Nous n'avons pas besoin d'être des experts en publicité pour installer des ancrages dans nos vies. Nous avons vu comme il est facile de revivre une émotion par des ancrages créés plus ou moins à notre insu.

Nous allons maintenant créer nos ancrages personnels pour provoquer à volonté un état de ressources désiré.

Ils seront très faciles d'accès et vous pourrez les déclencher au moment voulu, tout comme lorsque vous appuyez sur un commutateur pour éclairer une pièce.

Nous avons tous un bagage de ressources emmagasinées dans nos cellules. Or, en plus de nos propres expériences, nous avons des modèles, des personnes qui ont ces ressources que nous convoitons. Même si j'ai tendance à me fâcher facilement, mon oncle Jules est un modèle de patience. Rien ne semble le perturber. Je me souviens particulièrement d'une occasion où il y avait un bouchon terrible sur l'autoroute du Nord. À cause d'un carambolage de vingt-six voitures, nous sommes restés immobiles plusieurs heures alors que tante Martine nous attendait pour le dîner. Oncle Jules était au volant. Calme, il nous encourageait à voir le bon côté des choses; nous étions sains et saufs, au chaud, à écouter de la bonne musique à la radio. Pourquoi s'en faire? Moi, je trépignais d'impatience et de frustration. Aujourd'hui, je constate que j'aurais intérêt à suivre son exemple. Lorsque je veux me retrouver dans un état de patience, me maîtriser, je me réfère à mon ancre personnelle. Voici ce que je fais:

1- Je m'isole dans un coin paisible pour ne pas être dérangée par le téléphone, les enfants, etc. Bien tranquille, détendue, je prends quelques respirations profondes.

2- Je revois en image l'oncle Jules dans l'auto, j'observe son visage détendu, son calme, et je me vois dans sa peau avec la même sérénité. Je me fais une belle image, brillante, claire et nette de la situation. 👁 👁

3- J'écoute le silence(!). J'entends le rythme de ma respiration lente et profonde. ♪

4- Je m'harmonise à la sensation créée par la respiration profonde. Je ressens le calme, la paix, la détente. ☞

5- Je rassemble tous ces éléments visuels, auditifs, kinesthésiques

👁 👁 ♪ ☞

et à l'instant où je me sens à mon maximum, je presse mon pouce gauche sur le dos de ma main droite en me donnant le code «Jules». En réalité, je pourrais faire n'importe quel geste qui me conviendrait, comme me gratter l'oreille.

6- Je me lève, je marche quelques secondes, je pense à autre chose, puis je teste. Je mets mon doigt sur le dos de ma main droite et je pense «Jules». Instantanément, je ressens ce calme.

Un peu plus tard dans la journée, j'ai eu l'occasion de tester ma patience alors que mes enfants étaient tous les deux en retard pour le souper. Plutôt que de piquer une crise de colère, je teste mon ancre: pouce - main - «Jules». Ça marche! À leur grande surprise, maman a gardé son calme!

Cette ancre me sert dans la circulation, au restaurant, dans les magasins, un peu partout où je dois garder la maîtrise de moi-même. C'est un excellent anti-stress!

Recette:

Si je désire me donner des ressources pour affronter des situations difficiles, stressantes, inconfortables, je peux créer mes ancres personnelles. Voici la technique.

1- Se mettre dans un état de détente.

2- Identifier le résultat désiré.

3- 👁 👁 Créer des images précises basées sur une expérience personnelle, à un moment où l'on était dans cet état qu'on désire retrouver (n'importe où, n'importe quand). C'est une ressource acquise, entreposée dans la mémoire. Si je n'ai pas d'expérience, je prends l'exemple de quelqu'un qui a cette caractéristique, et je la vois comme si c'était moi. Je peux créer n'importe quelle image, il n'en tient qu'à mon imagination! Plus je suis précis dans la définition, les couleurs, la brillance, la grandeur, mieux cela vaut.

4- Écouter, entendre des sons désirés. Une musique, le chant des oiseaux, le silence. Rendre ces sons clairs, justes.

5- Ressentir dans son ventre, son corps, ce qui a été expérimenté, ou se l'inventer. Bien entrer dans cette sensation.

6- Au choix, y ajouter des odeurs, des parfums.

7- Rassembler ces sensations 👁 👁 , 𝄞 , ☞ et l'instant précédant le point maximal, se les ancrer soit au moyen d'un mot code, d'un geste facile à reproduire, ou des deux.

8- Se distraire et penser à autre chose.

9- Tester l'ancre.

10- Si l'ancre n'a pas l'effet désiré, répétez la procédure en y ajoutant ce dont vous avez besoin. Après tout, le PRODUCTEUR, le METTEUR EN SCÈNE, c'est VOUS!

Pour aider une autre personne à se fabriquer une ancre, nous devons savoir à quel instant suggérer les images, les sensations et les sons pour qu'ils soient installés au bon moment. Nous allons apprendre à calibrer.

Le calibrage

Calibrer, c'est savoir reconnaître les indices particuliers chez une personne. À partir d'expériences comparées, on reconnaît les particularités de chacun. Nous avons vu, au chapitre précédent, que nous percevons nos expériences de façon visuelle, auditive ou kinesthésique. Ces modes sont reconnaissables chez l'autre personne par le mouvement des yeux. Il arrive que certaines personnes aient des mouvements d'yeux différents de la majorité des gens. Il est possible de rencontrer quelqu'un qui cherche un souvenir visuel du côté gauche, plutôt que du côté droit.

Comment faire? En calibrant. Vous testez votre candidat, par exemple, en lui demandant: *«Comment étais-tu habillé hier?»*

La personne décrira ce qu'elle portait après avoir cherché dans sa mémoire. Si ses yeux montent, elle cherche des images. Observez vers quel côté ils se dirigent. Vous parlez de couleur, de tel ou tel accessoire, de sa chemise, de sa robe, de ses bas, de ses souliers… Normalement, elle cherche toujours du même côté ces renseignement visuels. Vous avez établi son visuel-souvenir.

Pour vérifier, vous lui demandez d'imaginer des vacances de rêve. D'abord, ce qu'elle y voit, les images, les couleurs, le décor… C'est un voyage purement imaginaire, rappelez-le-lui. Observez où vont ses yeux. Ils devraient chercher l'image construite de l'autre côté de l'image souvenir.

Pour le sens auditif, demandez-lui de penser à la voix de quelqu'un qu'elle aime, ou de se remémorer sa chanson préférée. Observez où vont ses yeux. Puis, demandez-lui d'inventer une musique agréable à ses oreilles. Observez et constatez la différence entre l'auditif construit et l'auditif souvenir.

Finalement, dans la conversation, demandez: «*Comment te sens-tu lorsque tu es très à l'aise?*» Observez ses yeux. Normalement, ils ont tendance à regarder vers le bas, à gauche. Continuez à lui poser ce genre de questions jusqu'à ce que vous ayez déterminé son accès kinesthésique. Enfin, pour le dialogue interne, (cette habileté qu'ont beaucoup de personnes à se parler en elles-mêmes), demandez lui de se dire quelque chose qui la motiverait. Observez. Ses yeux devraient regarder vers le bas, à l'opposé du kinesthésique. Voilà, vous avez calibré votre candidat.

Dans une conversation, il n'est pas toujours facile de faire ce genre de questionnement. Avec de la pratique, vous découvrirez comment aller chercher ces renseignements. Le principe est assez simple:

Les yeux vers le haut: recherche d'image construite ou souvenir.

Les yeux de côté, au milieu, recherche de sons connus ou inventés.

Les yeux vers le bas: d'un côté, recherche de sensations, d'émotions; de l'autre, le dialogue interne où la personne se parle à elle-même.

Pour installer une ancre chez une personne, il faut savoir à quel moment celle-ci cherche une image, un son, une sensation. Savoir reconnaître où vont ses yeux nous indique son processus interne. Pendant la recherche, ce n'est pas le moment d'installer l'ancre, il faut s'assurer qu'elle est prête à recevoir des directives.

Il faut installer l'ancre au moment où la personne est dans son état maximal de ressources. Il est important d'être détendu, calme et réceptif. On sent le calme, on l'observe par la musculation du visage détendue, les lèvres desserrées, le teint un peu rosé, et non blanc-vert ou encore rouge feu. Le rythme respiratoire est lent et non saccadé; les bras sont détendus, mous, à l'aise, sans tension.

Tous ces éléments réunis favorisent l'installation de l'ancre, qui aura des effets positifs dans les circonstances choisies.

Conclusion

En nous servant des sens, nous pouvons les transformer pour notre bénéfice, et enrichir notre banque de ressouces personnelles.

«Les sens sont des organes par lesquels l'homme se met en rapport avec les objets extérieurs...

La VUE qui embrasse l'espace et, par le moyen de la lumière, nous instruit de l'existence et des couleurs des corps qui nous environnent;

L'OUÏE, qui reçoit, par l'intermédiaire de l'air, l'ébranlement causé par les corps sonores;

L'ODORAT, au moyen duquel nous flairons les odeurs des corps qui en sont dotés;

Le GOÛT, par lequel nous apprécions tout ce qui est sapide ou succulent;

Le TOUCHER, dont l'objet est la consistance et la surface des corps.»

(Brillat-Savarin, *Physiologie du goût*, édition poche, Flammarion, p. 39.)

NIVEAUX LOGIQUES

Le contexte derrière le message: les niveaux logiques

«Moi, je trouve que la vie à la campagne est plus saine qu'à la ville. Il n'y a pas de problème de circulation, de pollution et de bruits», raconte Alice à son nouveau copain, Serge.

«Moi, j'aime bricoler, travailler avec mes mains et voir les résultats de mon travail», rétorque-t-il.

Imaginons que cette conversation se poursuive, et nous pouvons deviner à coup sûr que les deux vont se retrouver sur deux longueurs d'ondes bien différentes et qu'ils auront comme réaction: *«Il n'écoute pas quand je parle»* ou *«Elle n'a pas les mêmes intérêts que moi...»*

Que se passe-t-il? Alice et Serge parlent sur deux plans différents.

Elle discute en fonction de son environnement de vie alors que lui parle de ce qu'il aime faire, de ses activités. À moins que l'un ou l'autre ne s'ajuste au niveau de l'autre, cette conversation n'ira pas très loin, car chacun se perçoit en fonction de ce qui lui importe, que ce soit son identité, ses valeurs, ses stratégies ou son environnement.

Il nous arrive souvent de rencontrer quelqu'un, de nous mettre à lui parler pour nous apercevoir que cette personne ne parle pas du tout de la même chose que nous. Elle parle de ce qui lui importe, de ce qui la préoccupe à ce moment-là, et notre rôle de communicateur est de savoir déceler sur quel niveau poursuivre la conversation.

Qu'est-ce qu'un niveau logique? C'est le niveau d'où émane une façon de percevoir les choses. Si on change de niveau, notre perception de l'univers se modifie, ainsi que notre comportement face aux autres. Les niveaux s'influencent entre eux. Plus on monte vers l'identité, plus les effets se font sentir sur les niveaux inférieurs. À partir du moment où je m'identifie à un artiste, à un marchand ou à une secrétaire, mes activités, mes stratégies et mon environnement seront touchés différemment.

Certaines personnes nous parlent à partir de ce qu'elles sont: artiste, homme d'affaires, fonctionnaire, avocat...

D'autres, en fonction de ce qu'elles font: j'ai un commerce d'articles de sport, je travaille dans un bureau, je fais de la comptabilité...

Certains parlent en fonction de l'endroit où ils habitent, à la ferme, dans un appartement, au centre-ville.

Il existe une différence entre parler de son comportement et parler de ses capacités. Une différence se retrouve également entre les croyances ou les valeurs de chacun et son identité. Ces concepts sont des échelons différents dans la pyramide des niveaux logiques.

André, peintre-sculpteur, organise sa vie en fonction de son travail de création. Il vit seul, dans une maison lui permettant d'avoir un atelier, travaille surtout le soir et la nuit. Il dort une partie de la journée, fréquente peu de gens.

Claude, homme d'affaires qui réussit bien, vit au centre-ville, «près de l'action», comme il dit, sort tous les soirs, fait partie de différentes organisations sociales et politiques. Pour lui, l'important est de nouer des contacts, de se faire connaître, d'être vu dans les milieux d'influence.

Pour André, les valeurs importantes sont l'intégrité personnelle, l'autonomie, l'art et l'esthétique.

Les valeurs de Claude sont le succès, la reconnaissance et l'argent presque à tout prix.

Michèle se voit d'abord et avant tout comme une mère de famille (son identité).

Elle estime qu'il faut apprendre à ses adolescents à être autonomes dans la vie. Ils doivent s'assumer (sa croyance, ses valeurs).

Elle leur apprend à faire des budgets, à faire le marché, à se débrouiller dans la cuisine et les encourage à travailler l'été dans la restauration (ses stratégies).

Elle ne cuisine pas à la maison. Elle travaille souvent à l'extérieur et leur laisse le soin de se nourrir. Elle ne prépare pas de mets à l'avance pour leurs repas (son comportement).

Elle leur laisse gérer la maison seuls (stratégie et environnement).

Tout découle de la façon dont on se perçoit. À partir du moment où Michèle s'est identifiée comme mère de famille, et non comme assistante dentaire ou épouse de..., ses valeurs et son comportement sont bien différents de son amie Sylvie qui n'a pas d'enfant et se perçoit comme une célibataire en liberté. Les valeurs de cette dernière sont axées sur la liberté de faire ce qu'elle veut, de voyager sans contrainte familiale et de sortir où elle veut et avec qui elle veut, quand elle le désire. Sa grande valeur est la liberté. Ses stratégies sont en fonction d'une vie sociale active, son travail d'hôtesse de l'air lui permet de réaliser ses désirs de voyage. Elle profite de toutes les occasions lui permettant de voyager (son comportement) et vit à la campagne, hors de la ville et de ses contraintes de circulation, heures de pointe, etc., (environnement).

Pour Michèle, les valeurs importantes dans sa vie sont celles d'être un modèle pour ses enfants, de respecter leurs capacités et leur potentiel. Pour Sylvie, ses valeurs sont la liberté et l'aventure, le fait de découvrir de nouveaux pays, de rencontrer des gens de cultures différentes, d'expérimenter de nouveaux défis.

L'une et l'autre ont donc une façon très différente d'organiser leur vie. Leurs stratégies influencent leur comportement avec les autres, et leur façon de vivre dans deux types d'environnement différents.

Mon identité (QUI je suis)
Mes valeurs, mes croyances (POURQUOI
je fais ce que je fais)
Mes stratégies ou mon habileté (COMMENT je fonctionne)
Mon comportement (les actions que je fais, QUOI)
L'environnement (le contexte: OÙ et QUAND; les contraintes)

Autre type d'exemple:

Philippe est allergique (son identité).

Il croit que le pollen est la cause de son allergie.

Il ne peut vivre et travailler en ville l'été à cause de cette allergie (son comportement).

Il doit se procurer un purificateur d'air ou un climatiseur pour ne pas souffrir de son allergie ou louer un chalet à la campagne là où il n'y a pas de pollen, ou encore prendre des médicaments (ses stratégies).

L'air de la ville est chargé de pollen au mois d'août (environnement).

S'il change ses stratégies pour avoir une activité en ville l'été en prenant des médicaments, il n'a pas modifié son environnement. (Conséquence de ses stratégies nouvelles.)

Par contre, s'il ne modifie que l'environnement, c'est à dire air climatisé ou campagne, ses capacités changent parce qu'il peut agir dans tous les contextes. Son identité n'a pas pour autant changé, il demeure toujours allergique!

Le jour où il ne l'est plus, tout change: il n'y a plus d'obstacle: le pollen ne le dérange plus, il reste en ville en août, ne consomme plus de médicaments, etc.

L'autre jour, je rencontre Jean, qui ne parle qu'en fonction de ce qui lui arrive dans la vie. Il commence ses phrases par: *«Tu ne sais pas ce qui m'est arrivé dans l'avion l'autre jour?»*

Évidemment, je ne le sais pas...

Il se met à raconter une anecdote à propos d'un accident où l'hôtesse a renversé son café sur ses genoux; cela l'a rendu bien malheureux, car il avait acheté ce pantalon la veille (comportement). *«Chaque fois que je vais à tel endroit* (environnement), *je me trompe de porte...»* (comportement). Toute sa conversation est en fonction d'un comportement ou d'un environnement.

Par contre, le père de Sophie parle un tout autre langage: Pour lui, tout est IMPORTANT! (valeur). *Il faut faire ceci* (stratégie) *parce que c'est la meilleure façon de faire les choses* (croyance). Il ne cesse de répéter: *«Nous, on n'est pas né pour un petit pain. Il faut réussir dans la vie.»* (stratégie issue d'une croyance)

Jacques, lui, serait mal en point si les mots «JE SUIS» n'existaient pas. *«Je suis le meilleur vendeur de mon équipe... Je suis indispensable...»* (identité et croyance)

L'infatué typique, quoi! Je ne dis pas que c'est mauvais de parler en termes d'identité. C'est plutôt une question de dosage. Lorsqu'on s'adresse à Jacques, il faut parler en termes de son identité de vendeur et en termes de valeurs, comme le succès, l'argent, la reconnaissance des autres.

Avec le père de Sophie, c'est sérieux. Tout est sérieux dans la vie.

Il faut s'adapter, voyons!

Les grands timides, eux, évitent absolument ces termes, car très souvent ils ne se sont pas vraiment identifiés et leur statégie, inconsciente, est d'éviter de se mettre en valeur; leur langage se situe plutôt en termes de croyances: *«Je ne suis pas capable de parler en public, les gens m'intimident...»*

Il est alors plus sage de parler en termes de stratégies ou d'habiletés, et d'éviter de s'adresser à leur identité.

Louis, le fils d'une de mes amies, se plaignait que sa mère l'avait renié comme fils parce qu'il n'avait pas été invité à une réception de famille. Il considérait qu'en tant que fils de Louise, il aurait dû être invité. Il parlait en termes de son identité de fils de..., ce qui n'avait rien à voir avec l'invitation! Il n'avait pas été invité parce que Louise avait averti l'hôtesse, la grand-mère, qu'il devait assister à un cours ce soir-là! Il n'aurait donc pas pu accepter l'invitation! (habileté)

La stratégie de la grand-mère est de ne pas inviter Louis pour s'assurer qu'il assiste à son cours, la réaction du fils est de se sentir blessé dans son identité. Il a fallu s'expliquer le lendemain... et rassurer Louis en lui affirmant qu'il est toujours le fils de..., le petit-fils de..., etc.!

Lorsque nous apprenons à faire la différence entre les niveaux de perceptions de chacun et que nous identifions correctement où se situe le problème, nous pouvons assez efficacement trouver les solutions les plus pertinentes.

Pour reconnaître les différents niveaux, il s'agit tout simplement de relier le problème aux questions suivantes:

1- QUI, ou de qui s'agit-il? On recherche l'identité...

2- POURQUOI cette situation existe-t-elle? En fonction de QUOI? Quelles sont les valeurs ou croyances sous-jacentes?

3- COMMENT faire? (stratégie ou habileté)

4- QU'EST-CE QUI se passe? Qu'est-ce qu'on fait? (comportement)

5- OÙ cela se passe-t-il? Lieu, région, section, environnement.

Exercice

Afin de reconnaître les niveaux de conversation où se situent les gens, amusez-vous à décoder le sens des phrases suivantes, et à répondre dans le même ton.

«Pierre est un bon père de famille.»

niveau : ....

réponse possible : ....

«L'argent ne fait pas le bonheur.»

niveau : ....

réponse possible : ....

«Je déteste la pollution.»

niveau : ....

réponse possible : ....

«Je ne me couche jamais après minuit.»

niveau : ....

réponse possible :..

«Je suis secrétaire de direction.»

niveau : ....

réponse possible : ....

«J'ai trouvé un moyen de gagner du temps pour me rendre au travail.»

niveau : ....

réponse possible : ....

Conclusion

En consultant *Les Fables de Lafontaine*, il est facile de reconnaître différents niveaux logiques. Prenons un extrait tiré de la fable *Le Singe et le Léopard* pour identifier ces différents niveaux.

Le Singe avec le Léopard
Gagnaient de l'argent à la foire; (*comportement*)
Ils affichaient chacun à part. (*comportement*)
L'un deux disait: «Messieurs, mon mérite et ma gloire (*valeurs*)
Sont connus en bon lieu (*environnement*). Le roi m'a voulu voir;
Et, si je meurs, il veut avoir
Un manchon de ma peau: tant elle est bigarrée,
Pleine de taches, marquetée,
Et vergetée, et mouchetée.» (*valeur*)
[...]
Le Singe, de sa part disait: Venez, de grâce;
Venez, Messieurs, je fais cent tours de passe-passe. (*stratégie*)
Cette diversité dont on vous parle tant, (*valeur*)
Mon voisin Léonard l'a sur soi seulement;
Moi, je l'ai dans l'esprit. (*stratégie*) Votre serviteur Gille,
Cousin et gendre de Bertrand,
Singe du pape de son vivant, (*identité*)
[...]
Car il parle, on l'entend; il sait danser, baller,
Faire des tours de toutes sortes,
Passer en des cerceaux; (*comportement*)
[...]
Le Singe avait raison. Ce n'est pas sur l'habit
que la diversité me plaît, c'est dans l'esprit... (*valeur*)

Les Fables de Lafontaine
Univers des Lettres, Bordas, Paris, 1985.

LES MÉTAMODÈLES DE LANGAGE

Lorsque je dis à mes enfants:

«Je n'ai pas dit que c'est votre faute!»
«JE n'ai pas dit que c'est votre faute» ou
«Je n'ai pas DIT que c'est votre faute» ou
«Je n'ai pas dit que c'est VOTRE faute!»

Je transmets quatre messages différents, selon l'emphase mise sur un mot plutôt qu'un autre. Le sens de ma phrase en est complètement modifié. Le ton révèle le fond de ma pensée, je n'ai pas besoin d'en dire plus. On y détecte des omissions.
JE n'ai pas dit..., donc qui l'a dit?
Je n'ai pas **dit**... qu'est-ce que j'ai fait alors?
...que c'est **votre** faute, donc la faute à qui?

Un jour mon père arrive à la maison, tout fier de nous raconter qu'il vient d'être invité à un dîner avec le premier ministre... Il omet d'ajouter, avec deux mille autres invités! Son attention, et la nôtre, portait sur le fait d'avoir été invité à ce dîner, ce qui sous-entend une exclusivité. Jusqu'au moment où on comprend que deux mille autres personnes sont aussi exclusives...

L'être humain communique en fonction de la façon dont il a enregistré ses expériences. Il peut choisir d'omettre des précisions, parce qu'il met de l'importance sur une seule partie de son expérience. Ou encore, il peut choisir de généraliser en se détachant de son expérience afin de la classer dans une catégorie qui représente toutes les expériences du même type.

Durant les années 60, on disait qu'il fallait se méfier de toute personne âgée de plus de quarante ans. La génération des «baby-boomers», qui représentait une grande partie de la population, avait catalogué les adultes comme des gens dont il fallait se méfier parce qu'ils n'étaient pas d'accord avec les valeurs de l'époque. De leur côté, les adultes se plaignaient, et se plaignent encore, des «jeunes» et de leur nouvelle musique. Chacun généralisait les défauts de l'autre.

À partir d'une seule expérience, on généralise, et ceci fait sursauter les scientifiques qui recherchent plusieurs preuves avant de faire de telles affirmations.

Finalement, on fait de la distorsion lorsqu'on transforme le sens d'une expérience. L'adolescente s'enflamme parce qu'un beau garçon qui lui plaît l'a regardée langoureusement. «Il m'aime!» espère-t-elle.

Parfois, on améliore le sens de l'expérience, ce qui permet de rêver. Ou on fait l'inverse comme ce nouvel employé qui affronte son patron en colère, et s'imagine: «Je ne fais pas l'affaire.»

Nous transformons constamment les messages reçus et ceux que nous transmettons par les filtres de sélection de notre cerveau.

Les mécanismes employés peuvent être non verbaux (posture, gestes) ou verbaux (le ton, le rythme dans la voix, et la structure de nos phrases).

Le métamodèle de langage est un filtre profond, inconscient, qui influence nos perceptions. C'est un mécanisme qui permet de modifier, d'éliminer des renseignement, d'entretenir ou de détruire une généralisation.

Que signifie le mot *meta*? Du grec meta exprimant la succession, le changement, la participation, selon *Le Petit Robert*, édition 1990.

Si on pense au *métabolisme,* monsieur Larousse nous le décrit comme étant un «ensemble de *transformations* subies dans un organisme».

Une *métaphore* est «un procédé par lequel on *transporte* la signification propre d'un mot à une autre signification qui ne lui convient qu'en vertu d'une comparaison *sous-entendue*».

Larousse nous définit *modèle* comme «une structure formalisée utilisée pour rendre compte d'un ensemble de phénomènes qui possèdent entre eux certaines relations», on pourrait donc définir *métamodèle* comme la transformation d'un ensemble de phénomènes de langage, ce qui vient au-delà des mots.

Le Petit Robert définit *métalangage* comme étant un «*langage naturel ou formalisé qui sert à parler d'une langue*».

Le métamodèle classe ses renseignements selon certaines catégories, tout comme l'ordinateur classe ses renseignements dans des logiciels.

Nous avons vu que nous choisissons de percevoir l'univers en images, en sons, en odeurs ou en sensations qui représentent le code avec lequel nous intégrons et transmettons nos renseignements. Nous l'utilisons pour entrer en relation avec le monde extérieur. Les métamodèles de langage sont les filtres qui généralisent, omettent ou transforment les messages à notre insu. Il traduisent notre façon d'interpréter nos expériences. Ils font la sélection de l'information que nous emmagasinons.

Nous aborderons les catégories les plus simples en les identifiant et en désarmorçant leur modèle. Il ne s'agit pas de cataloguer tout le monde dans des cases hermétiques, mais plutôt de reconnaître un langage représentatif d'un mode de perception et de savoir fonctionner dans ce mode. Ces métamodèles ne sont pas nécessairement statiques, ils peuvent se modifier avec le temps, selon notre expérience, ou nos valeurs qui peuvent changer. Les combinaisons possibles sont illimitées, ce qui fait de chaque humain un être unique.

L'univers serait bien restreint si nous devions couler les gens dans un seul moule.

Types de modèles possibles:

1- Les généralisations: *«tous les hommes sont bêtes»*
2- a) - Les mots non précis: *«cette chanson est vieille...»*
    b) - Les verbes non précis: *«je vais finir mon texte mardi»*
    c) - Les règles à suivre: *«il faut manger son dessert après la viande»*
3- Les nominalisations issues de verbes transformés en noms: *«l'excellence dans l'entreprise»*
4- Les comparateurs: *«ce riz est le meilleur»*
5- La lecture de pensée: *«je sais ce que tu penses...»*

1- Les généralisations

«C'est avec idéalisme que vous porterez un intérêt particulier à votre entourage, le comblant d'amour et d'attentions particulières... vous avez un profond besoin d'amour et de tendresse... vous vivez des moments agréables pour toutes vos activités sociales et mondaines...» (horoscope du jour)

Qui de nous ne consulte pas parfois l'horoscope du jour pour se faire remonter le moral, pour voir ce que lui promet la journée? Et, souvent, le commentaire semble s'appliquer à sa propre vie. Coïncidence? Hasard? Non. Écriture habile. Faite de généralisations. Comme il n'y a pas de cadre de référence, chacun interprète dans son propre cadre et y trouve son compte. Le message est assez vague pour ne pas donner de détails, assez large pour permettre de nombreuses interprétations.

Généraliser permet de se détacher d'une situation et d'en faire un absolu dépersonnalisé. Il devient facile d'en faire des règles de vie. *Manger de la viande est nuisible à la santé... Il faut éviter le cholestérol... Tel aliment donne le cancer...* Si l'on se met à tout prendre au sérieux, on verra fleurir une nouvelle affirmation chaque semaine! On va finir par crever de faim à force d'éviter les aliments cancérigènes!

Lorsqu'un vendeur veut pousser son client à faire comme les autres, à acheter telle bière, tel savon, telle automobile, il tentera de le convaincre en lui parlant en généralisations: «*Tous ceux qui l'ont essayé, l'ont acheté*»... le vendeur parle de façon à inciter l'acheteur à appartenir au groupe de personnes qui ont acquis le produit et en sont satisfaites.

Certaines personnes parlent *toujours* en généralisations. Elles ont catalogué leur message en termes de *tout le monde, personne, toujours, jamais*... Ce sont des personnes sans nuances ni subtilité. «*Tout le monde le fait*», «*personne ne m'écoute quand je parle*», «*je n'ai jamais assez de temps pout tout faire*», etc.

Il est assez facile de les faire sortir de ce mode absolu, en reprenant leurs mots favoris: «*TOUS les hommes sont bêtes?*, «*Personne?*», «*Jamais?*»

Elles vous répondront vraisemblablement: «Non pas *TOUS*, mais la plupart... et vous enchaînerez en demandant plus de précisions comme «qui par exemple?» ou «peux-tu m'en nommer quelques-uns?».

Attention au ton de voix lorsque vous demandez plus de précision, il est facile d'être agressif ou moqueur! La réaction de l'autre est parfois étonnante, certaines personnes se sentent visées par ce genre de confrontation et deviennent agressives ou restent sur la défensive.

Rappelez-vous qu'elles ne sont pas nécessairement conscientes de ce mode de fonctionnement.

2a- Les mots non précis

Maryse, la philosophe du groupe, est la plus difficile à décoder, car elle parle un langage sans système de représentation. «J'aime bien le théâtre expérimental, parce que j'y apprends les nouvelles valeurs dans l'art de la scène» nous raconte-t-elle au café-terrasse où nous avons l'habitude de nous rencontrer. «Qu'est-ce que tu y vois? Il n'y a même pas de beaux décors!» demande Sophie. «Ce n'est que du bruit, des mots sans signification qui ne disent rien», enchaîne Zoé. «L'ambiance est froide, dénudée de toute émotion» constate Georges.

En écoutant parler Maryse, je ne suis pas capable de discerner dans quel système elle fonctionne. Son code est «non spécifique», c'est-à-dire sans référence aux sens. Il faut la questionner si on veut comprendre. Les personnes dites «intellectuelles» sont les spécialistes de ce comportement.

Les reportages, les nouvelles sont généralement dénudées de termes à connotations sensorielles. C'est ce qu'on attend de ce type de communication. Par contre, dans une situation plus personnelle où on veut en apprendre plus sur le mode de fonctionnement de l'autre, décoder sa «carte», il faut apprendre à poser des questions comme:

«De quelle façon le sais-tu?», «Qu'est-ce que tu veux dire par c'est BEAU?», «De quoi te souviens-tu?» (images, sons, sensations...), «Qu'est-ce que cela te dit?», «Qu'est-ce que tu vois?»...

Les adolescents cataloguent les airs entendus à la radio ou à la télé en fonction de la date de sortie. Par exemple, je les entends faire la remarque: *«Ce disque est vieux!»* Bien sûr, à mon âge, les cheveux me dressent sur la tête, quand il me semble que j'ai entendu cet air il y a à peine six mois! Nous n'avons pas tout à fait la même définition du mot «vieux»; dans leur cas, je dois demander: «C'est quoi vieux?» Je suppose qu'ils me perçoivent comme étant archaïque!

2b) Les verbes non précis

Lorsque mon fils m'annonce qu'il a *fini* d'étudier, j'ai appris avec le temps que je devais spécifier *«fini quoi?»,* parce qu'il voulait aller jouer avec ses amis, il disait avoir fini ses devoirs, mais il n'avait pas étudié ses leçons! Ou encore, la mère qui demande à son enfant *«as-tu compris?»* lorsqu'elle lui explique comment prendre l'autobus pour se rendre chez son ami. L'enfant croit avoir compris, donc répond par l'affirmative. Si la mère ne vérifie pas ce qu'il a compris, l'enfant va peut-être se tromper de route. Il en est de même au travail lorsque le patron délègue une tâche à son employé. Quelle n'est pas sa déception lorsque le travail est remis différemment de son attente. *«Pourtant, je lui avais demandé s'il avait compris!»* me dit-il. Bien sûr que l'employé bien intentionné *croyait* avoir compris. Mais il a filtré à sa façon et le résultat ne correspond pas à l'attente du patron. Sans cadre de référence spécifique, les malentendus se multiplient.

«On se rencontre lundi pour jouer.»

Cette phrase prononcée par mes enfants sous-entend s'amuser.

Prononcée par ma sœur musicienne, je sais qu'elle parle de jouer de son instrument ou de répéter pour un concert. Enfin, par mes voisins, je sais qu'ils parlent de jeu de cartes. Hors contexte, je pourrais traduire que ma sœur joue au bridge, mes enfants de la flûte et que mes voisins jouent au golf.

Ces types de verbes ne donnent qu'un renseignement général, et j'ai besoin de plus de précisions pour mieux comprendre.

Des verbes comme finir, faire, essayer, comprendre, se souvenir, reconnaître, pouvoir, ne donnent ni d'information sensorielle, ni paramètre de temps. En l'absence informations spécifiques, on doit donc approfondir en demandant: *«de quelle façon précise»*, *«comment sais-tu que tu as vraiment fini?»*, *«qu'est-ce que tu as compris?»*

Les secrétaires, les téléphonistes, les collègues de travail qui prennent les messages téléphoniques ont intérêt à être précis sinon le message n'a aucune valeur si ce n'est que *«monsieur Tremblay a appelé madame Blin»*.

Monsieur Paul Tremblay, directeur de la compagnie ABC inc., vous désirez confirmer la réunion de lundi à 9 h. On peut vous rejoindre au 333-2456 entre 14 h et 16 h aujourd'hui. Entendu, je ferai le message à madame Blin dès son retour. Bonne journée!

2c- Les règles à suivre

«Il faut se laver les mains avant de manger», «On doit dépasser à gauche seulement», «C'est mal de critiquer», «La vitesse tue».

On aurait tendance à demander «selon qui?». Bel exemple d'omission où manquent des renseignements précis. On ne sait pas qui a fait ces règlements, ni dans quel contexte, ni à qui ils s'adressent. Ces messages sont tout à fait dépersonnalisés.

Certains types de patrons se replient sur les politiques de l'entreprise pour agir. Par exemple, *«les heures de repas sont de midi à une heure»*. C'est une règle bien implantée dans nos entreprises, à en juger par les foules envahissant les restaurants à midi! Il faut croire que tout le monde doit assouvir sa faim à la même heure!

On ne connaît ni l'auteur ni le destinataire de cette règle. Les règles à suivre dans les religions, les groupes, les associations et les lois sont formulées de cette façon.

Les personnes ayant un sens aigu de règlements peuvent être agent de loi, comptable, officier d'armée... Leur univers est perçu en fonction de ce qui est permis ou interdit. Elles sont l'antithèse de l'individu créateur.

Souvent les lois ou règlements sont implantés pour un besoin particulier. Avec le temps, ils deviennent désuets. Et il arrive que nous ne puissions pas nous en défaire. Exemple: Reconnaissez-vous ces lettres: **QWERTYUIOP**?

Vous avez tous vu cet ensemble de lettres.

Où? _____

En 1870, Sholes & Co, un fabricant de machines à écrire recevait de nombreuses plaintes de ses clients selon lesquels les touches s'accrochaient s'ils tapaient trop vite. On essaya de demander aux utilisateurs de ralentir. Peine perdue. Les gestionnaires et les ingénieurs cherchèrent alors une autre façon de régler le problème. On pouvait ralentir les opérateurs en compliquant la configuration des lettres sur le clavier. Par exemple, les lettres «o» et «i» sont la 3e et la 6e lettre les plus utilisées dans la langue anglaise. En les plaçant là où les doigts moins forts pressaient, on ralentit la vitesse de frappe. Idée brillante qui résolut le problème, mais qui persiste encore de nos jours sur nos ordinateurs modernes... Même si nos équipements sont tellement plus rapides que les opératrices!

Une autre stratégie pour sortir des règlements et devenir plus créatif est de changer la question en l'inversant.

Exemple: lors de la Deuxième Guerre mondiale, dans le but d'augmenter le nombre d'avions revenant à la base, les militaires et les ingénieurs se demandaient quelle partie des avions ils devaient blinder plus solidement?

Après avoir analysé les faiblesses des avions, un commandant posa la question suivante. Où les balles ennemies ont-elles frappé? À l'inverse, où les balles n'ont-elles pas frappé? À cet endroit non touché, on décide de consolider. Pourquoi? Parce que les avions qui se sont perdus ou qui ne sont pas revenus ont dû être frappés à cet endroit précis. Ceux qui reviennent ont été frappés là où la paroi était assez solide, donc ils ont survécu aux attaques.

On a souvent tendance à développer des petites routines. Pour sortir de son moule, on peut apprendre à regarder ailleurs. Changer de route pour se rendre à un endroit familier, sortir de l'autoroute. Si on sort des chemins battus, on risque d'être plus vigilant et de découvrir de nouvelles choses.

On dit souvent: on ne peut voir la forêt si on est face aux arbres. Apprendre à changer de perspective permet d'élargir ses horizons. Si j'étais un oiseau, de quoi la forêt aurait-elle l'air? Si j'étais une fourmi, quels éléments est-ce que je percevrais?

Les formats changent, les textures, les distances aussi. Si je grossissais, réduisais, éloignais, rapprochais ce que je connais, quelles seraient mes perceptions?

Conclusion

Pour désamorcer les personnes de type réglementaire, ou sortir de notre propre habitude trop rigide, il est intéressant de demander: *«qu'est-ce qui arriverait si...»* *«... on mangeait quand on a faim?, on dépassait à droite?»*

Parfois, il faut détruire pour recréer et établir de nouveaux modèles. Napoléon mis les règles en question et les a changées pour mener à bien ses campagnes militaires. Beethoven a changé les règles pour écrire une symphonie. Steven Jobs s'est posé plusieurs fois la question «qu'est-ce qui arriverait si...» pour en arriver à simplifier l'utilisation de l'ordinateur et il a développé la compagnie APPLE.

Émile Chartier disait: «Il n'y a rien de plus dangereux qu'une idée quand c'est la seule disponible.»

La personne créatrice adopte la philosophie suivante: *«Si j'ai une seule idée, je me sens coincé, si j'en ai deux, je suis dans l'ambiguïté, si j'en ai trois ou plus, alors j'ai vraiment des choix.»*

Plus on se donne la chance d'avoir des choix, plus on enrichit son expérience de l'univers.

Exercice

Comment répondriez-vous à quelqu'un qui vous dirait:

«Je ne suis pas capable.»

réponse: _____

«C'est impossible!»

réponse: _____

«Ça ne se fait pas.»

réponse: _____

«Je ne peux pas lui dire la vérité.»

réponse: _____

3- Les nominalisations

En tant que consultante, j'entends régulièrement dans les entreprises: «Il faut améliorer les *communications*!» Quelle noble intention! Je suis tentée de rétorquer: «Moi aussi, je suis pour la vertu.»

Croyant bien faire, on m'a souvent demandé de donner des ateliers de communications interpersonnelles, alors que le problème de *communication* était un manque de renseignements véhiculés dans l'entreprise. La haute direction émet des politiques jalousement gardées. Ainsi, les gestionnaires ou employés aux échelons inférieurs sont tenus dans l'ignorance. Ils ne savent pas ce qui se passe dans l'entreprise et se plaignent de problèmes de communication. Je dois donc faire décomposer le message en posant des questions du genre: «Que voulez-vous dire par *communication*?»

Si on m'explique que les gens ont besoin d'apprendre des techniques pour mieux communiquer, se comprendre, savoir poser des questions, savoir écouter, etc., mes sessions sont utiles, sinon, il en résulte une plus grande frustration au sein des membres du personnel. Et le problème est loin d'être réglé, malheureusement! Il faut explorer une autre dimension de la *communication,* devenir plus concret.

Qu'est-ce que la **nominalisation?** C'est l'utilisation d'un mot qui est un procédé ou une action; par exemple, transporter est un verbe d'action transformé en nom: transport. Ce mot abstrait ne pourrait pas être placé dans une brouette. Il fait partie de la famille des généralisations.

Exemple: la communication, l'excellence, la beauté, la qualité totale.

À l'inverse: un message écrit, un livre, un tableau sont des mots concrets, qu'on pourrait mettre en brouette.

La mère d'une amie d'enfance, Zoé, avait un obsession pour la *propreté*. Pour elle, il ne devait pas y avoir une seule poussière dans la maison. Tout devait briller constamment! Par contre, Zoé n'avait pas la même définition de *propre* dans sa chambre: tant que son lit était à peu près fait, ses vêtements ramassés, pas toujours

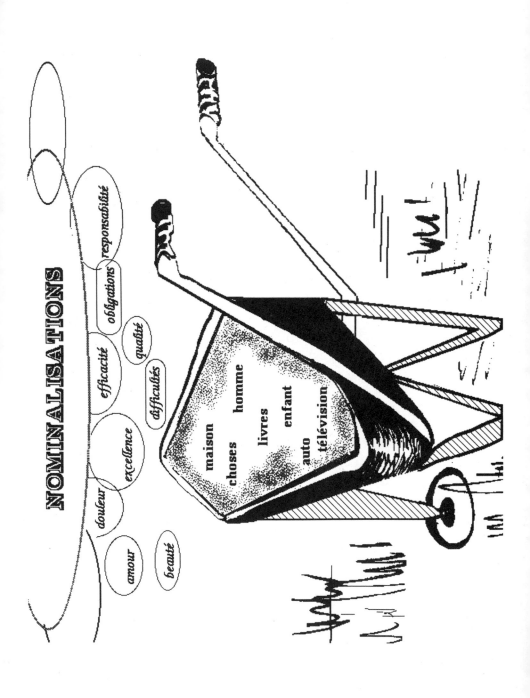

rangés, le bureau épousseté une fois de temps en temps, c'était *propre!* Aussi longtemps que l'une et l'autre se ne sont pas assises ensemble pour définir le sens du mot, elles n'arrivaient pas à s'entendre. La même chose s'applique dans les relations de couples, d'amis.

4- Les comparateurs

«Pierre est la meilleure personne pour ce travail», «J'ai trouvé la plus jolie blouse au magasin», «C'est le pire accident», «Mon jardin est le plus beau», «Vous feriez mieux de m'écouter».

La personne parle en termes de comparaison, sans éléments à comparer. La façon de reconnaître ce modèle est de chercher deux sujets à comparer; s'il en manque un, nous avons affaire à un «comparateur», un autre membre dans la famille des omissions.

Dans tous ces cas, pour vraiment comparer, je cherche le deuxième élément de la comparaison. *«Meilleur que qui? Plus jolie que quoi? Pire que...»*

L'objectif de ces questions est d'obtenir plus de précision; si le mot clé de la phrase me donne assez de renseignements, il n'est pas toujours nécessaire de chercher l'élément de comparaison. Par contre, si Sophie vient me voir pour l'aider à résoudre un problème, *«il vient de m'arriver le pire malheur!»*, j'ai intérêt à approfondir avec elle et à chercher l'élément de comparaison: «pire que quoi?» pour l'aider à trouver une solution à son problème.

En fait, c'est assez facile de répondre à un comparateur: on n'a qu'à prendre la comparaison et compléter par «que, qui, quoi».

5- La lecture de pensée

«Je sais que tu penses que je me trompe...», «Elle ne me fait pas confiance...», «Il ne veut plus me revoir...».

Qui d'entre nous n'a pas une amie qui sait toujours ce que l'autre a dans la tête? Ces personnes sont douées, elles font de la lecture de pensée. Je suis toujours étonnée par ces personnes qui savent mieux que moi ce que je ressens ou ce que je pense...

«Je sais que mon dessert vous plaira», dit ma belle-mère qui insiste toujours pour apporter un dessert lorsqu'elle vient dîner à la maison... Elle utilise la formule de lecture de pensée renversée à son avantage. De cette façon, je ne peux pas lui dire qu'elle n'aurait pas dû faire le dessert, même si je suis au régime! Elle me désarme chaque fois! Mais, si j'ai le malheur de ne pas finir ma portion de dessert, elle me dit aussitôt: *«Tu n'aimes pas?»*

Cette formule est en fait souvent une projection de notre propre pensée. Habilement utilisée, elle génère des effets positifs. Mal utilisée, elle a des effets désastreux. Exemple: le gardien de musée qui me dit: *«Allez voir telle exposition, dans la salle X, elle vous plaira».* Alors je me dis: «Pour qui se prend-il celui-là, il ne connaît pas mes goûts et ne sait pas ce que je recherche!» Il a réussi à me mettre de mauvaise humeur. Ou le vendeur à la commission qui n'a pas réussi une seule vente de la journée et qui vous piège en insistant pour que vous achetiez l'horrible chemisier violet: *«Vos amis vont vous envier avec ce magnifique chemisier!»* Bien sûr! Ils vont plutôt rire de moi... J'aime bien leur répondre par une question de genre: *«Comment le sais-tu? ou Qu'est-ce qui te fait dire ça?»* Pour connaître leur source de renseignements! Et en réalité pour leur faire prendre conscience que leur raisonnement n'est pas fondé. Il leur manque généralement des données pour tirer leurs conclusions.

En pensant à la place de l'autre, on se prive de connaître le fond de sa pensée, et on risque de s'aventurer sur une piste glissante. C'est une façon de limiter son expérience et de se refermer face à l'autre.

Adoucisseurs

Ce type de questionnement peut incommoder, intimider ou même agresser quelqu'un. Rappelez-vous que le mode de pensée est tout à fait inconscient et que la personne ne s'attend peut-être pas à se faire désarmorcer par vos questions. Afin d'adoucir votre approche, je vous propose d'utiliser des expressions qui apprivoisent l'autre comme: «*J'aimerais comprendre*», «*Je serais curieuse de savoir...*», «*Serais-tu disposée à m'expliquer*». Et observez la réaction. Si vous avez bien su créer le rapport avec l'autre et dépister les signes sensoriels appris précédemment, vous obtiendrez les résultats désirés.

Cette stratégie qui consiste à demander des précisions sur une phrase adoucit la question et la remet dans son contexte. Il s'agit d'incorporer la question dans une phrase afin d'éviter la résistance chez l'autre. On peut demander ce que l'on veut, sans que l'autre se sente menacé par nos questions. «*Je me demande ce que vous voulez obtenir de cet exercice.*»

LES UTILISATIONS DES MÉTAMODÈLES

Milton Ericson est un pionnier de l'hypnose qui a développé des techniques de communication pour faire entrer un patient en hypnose. Atteint de polio pendant son enfance, il est condamné au fauteuil roulant jusqu'à la fin de ses jours. Il décide d'apprendre les composantes du langage, décortique les mots, leur structure pour en développer des modèles efficaces de communication en thérapie.

Sa stratégie consiste à utiliser les métamodèles du langage de façon à inciter ses patients à interpréter ce qu'il dit et à le traduire dans leur propre langage. Sans connaître les circonstances d'un problème, il réussit à amener ses patients à comprendre subconsciemment de quelle façon ils pourraient trouver une solution. Pour nous, savoir tirer profit des métamodèles permet d'influencer les autres de façon douce, sans agressivité. Il ne s'agit pas de faire de l'hypnose, mais d'influencer ou de modifier un comportement sans nécessairement tout connaître de l'autre. Lorsqu'une publicité me dit «*Tout le monde le fait, fais-le donc*», c'est une forme d'incitation pour m'amener à utiliser tel ou tel produit. Il n'y a pas de mot précis, mais je me sens influencée!

En tant que parent, nous pouvons développer des stratégies d'incitation pour faire agir nos enfants. «*Vas-tu prendre ton bain avant ou après avoir fait la vaisselle?*», «*Est-ce que je rencontre ton professeur mardi ou jeudi?»*, *«Quand tu auras sorti les poubelles, tu pourras regarder la télévision...»*

Dans tous ces cas, je n'ai jamais DIT à mon enfant de *faire la vaisselle, de sortir les poubelles, que je VEUX rencontrer son professeur...* Je le lui ai dit indirectement au moyen de stratégies de métamodèles transformées à mon avantage.

Exemples de stratégies d'incitation

Cause à effet: *«Lorsque j'aurai perdu trois kilos, je m'achèterai un nouveau maillot de bain.» «Après avoir promené le chien, tu pourras regarder la télé.»* Cette stratégie encourage à mener une activité à son terme. Des mots comme lorsque, après que, dès que, chaque fois que, impliquent qu'une action, un geste sera fait; on incite avec la notion de temporalité.

C'est une bonne technique à utiliser auprès de gens qui ont le don de commencer des activités sans les terminer. Ma belle-sœur en est un exemple parfait. Toujours pleine de projets, elle ne cesse d'entreprendre de nouvelles activités. Cette semaine, je faisais le bilan avec elle: il y a une jupe rose qu'elle veut se confectionner pour l'été. La jupe est taillée, le fil acheté, mais tout traîne dans un coin. Il y a le papier peint de la salle à manger à poser. Elle a terminé un mur et demi. La couverture commencée lors de son dernier congé de maladie, il y a six mois, est aux deux tiers terminée. Inutile de dire que je formule mes phrases avec cette stratégie si j'ai besoin d'elle pour un projet: *«Lorsque nous aurons terminé d'établir la liste des achats pour la fête des mères, nous irons au magasin...»*

Choix: *«Vous achetez la cravate bleue OU la cravate rouge?»* sous-entend un achat de cravate, il ne reste plus qu'à choisir laquelle. Cette stratégie est souvent utilisée en vente pour aider l'acheteur à se décider, et à faire l'achat.

Lorsque je veux prendre un rendez-vous avec une personne qui me semble résister, j'opte pour cette technique: *«Serait-il possible de se rencontrer mardi après-midi ou jeudi matin?»*

Généralement, j'obtiens mon rendez-vous cette semaine-là!

ET: *Vous pourrez écouter ET écrire lorsque je vous expliquerai...* » sous-entend que je m'attends à ce que vous preniez des notes sans nécessairement le dire. Je me sers de cette stratégie avec des participants si je ne fournis pas toute la documentation et qu'ils doivent la compléter en fonction de leur intérêt ou de leurs besoins. Un parent peut s'adresser à son enfant de cette façon: *«Tu peux écouter ta musique ET faire le ménage de ta chambre...»*

C'est un peu comme l'histoire, dans un monastère ZEN, d'un jeune moine qui lit ses prières dans le jardin en compagnie d'un vieux moine. Le jeune demande au vieillard comment il avait obtenu la permission de fumer alors que c'est interdit. Celui-ci répond qu'il a obtenu la permission du père supérieur. Notre jeune moine s'empresse de demander une entrevue avec son supérieur pour obtenir la même permission. Sans succès.

Bredouille, il demande au vieux moine de quelle façon il a obtenu cette permission. *«Qu'as-tu demandé au père supérieur?»*, *lui dit le vieux.*

-*«La permission de fumer en faisant mes prières dans le jardin.»*

-*«Eh bien moi,* rétorque le vieux sage, *j'ai demandé si je pouvais prier en fumant!»*

Tout est dans la façon avec laquelle on associe les idées. Quel père supérieur refuserait de laisser prier en fumant!

Ambiguïté: Marc Favreau dans son personnage de SOL nous fait rire et réfléchir avec ses ambiguïtés phonétiques:

> *« Le premier bébé, le premier qui arrive...*
> *il sait pas qu'il a une mère veilleuse*
> *parce qu'il a un pèrspicace...*
> *Il sait pas qu'une cuillerée de purée culture,*
> *c'est dur à avaler...*
> Marc Favreau, *Je m'égalomane à moi-même*, Collection 10/10, Stanké, 1982, p. 79-80.

Bien sûr, nous n'avons pas tous le talent de SOL, mais il nous arrive de créer des ambiguïtés phonétiques avec des mots à plusieurs sens.

- *Va vers le verre vert qui contient un ver de terre.*
- *J'étais à la mer avec le maire et ma mère.*
- *Mon père m'a acheté une paire de souliers pour faire comme mes pairs.*

Ou encore des ambiguïtés créées par des mots utilisés soit comme verbe, soit comme nom. Exemple: boire, le boire; pousser, la poussée; etc. L'avantage de savoir utiliser les ambiguïtés permet au récepteur de traiter le message à sa façon. Il participe donc activement à la création du sens du message, augmentant par le fait même la probabilité que ce message s'adresse à lui. Les autres significations du message sont probablement enregistrées au niveau inconscient.

Généralisations

«*Je vais améliorer la condition des travailleurs... Nous formerons un gouvernement responsable... Votez pour nous et nous améliorerons votre sort!*» Tout le monde y trouve quelque chose qui lui plaît, l'adapte à son propre contexte, et vote pour le candidat qui fait de telles promesses!

«Les circonstances favorables... les choses que vous faites pour...» sous-entend n'importe quelle circonstance, c'est à vous de l'identifier selon le contexte dans lequel vous vous situez. L'exemple de l'horoscope du jour vu précédemment s'applique bien ici.

Ces techniques permettent d'adapter le message sans nécessairement identifier le contexte, ce qui permet d'éviter de faire des faux pas! On a déjà mentionné que les discours politiques en sont un bon exemple. Le rédacteur habile saura plaire à tout le monde sans avoir dit précisément ce qu'il fera.

Une autre forme d'incitation est la formule de **commandements imbriqués**: «*Je me demande quand vous allez vous détendre*» est plus subtil et efficace que dire à quelqu'un «détendez-vous immédiatement...» Cette stratégie permet de demander à l'autre de faire quelque chose, sans le brusquer, avec beaucoup de subtilité et de douceur. On passe un commandement à l'intérieur d'une phrase. *«Je suppose que vous aurez terminé votre travail avant jeudi midi»* serait une bonne façon pour un employeur de donner une échéance pour un travail. Si cette tâche s'avère irréalisable, l'employé n'est pas trop mal à l'aise pour répondre et fixer sa propre échéance.

«Ne pense pas à ta mère» est un **commandement inversé** qui oblige d'abord à penser à ce qu'il ne faut pas faire, avant de l'omettre. Cela devient presque impossible! C'est le cas lorsqu'on veut se mettre au régime: *«Il ne faut pas manger de sucre»* suffit pour me donner une envie irrésistible d'une tablette de chocolat. Plus je pense à la liste de ce qu'il ne **pas** manger, plus j'en ai envie! Inutile de dire que les régimes de cette sorte n'ont aucun effet bénéfique sur mon corps! Généralement, je gagne quelques kilos plutôt que perdre les deux ou trois kilos désirés... Par contre, cette technique a ses bons côtés. Quand mes enfants étaient tout petits, j'avais de la difficulté à les convaincre de prendre leur bain tous les soirs. Je recevais des «non!» Jusqu'au jour où j'ai essayé le contraire. Capitalisant sur le «non», je leur dis sur le même ton que d'habitude: *«Ce soir, vous ne prenez pas de bain. »*

J'ai eu un «non» tel qu'attendu, et le bain...

Si je veux encourager mon fils à faire ses devoirs, je peux lui proposer de *ne pas faire ses maths trop vite... ou de «ne pas avoir trop de plaisir à chercher l'orthographe correcte dans le dictionnaire...»* L'effet obtenu est que l'enfant va s'amuser à chercher les mots ou à faire ses maths en premier. Pourquoi? Parce que la négation n'existe pas en tant qu'expérience primaire visuelle, auditive ou kinesthésique. La négation devient une expérience secondaire, représentée par des symboles mathématiques ou linguistiques.

Conclusion

Les psychologues ont observé que le cerveau conscient peut absorber un nombre limité de renseignement en même temps.

Ce sont ces modèles qui résultent de notre état émotif au moment où nous vivons l'expérience. Lorsqu'on apprend à les reconnaître, ils aident à identifier notre façon de réagir et celle des autres. Lorsque nous sommes en présence d'une personne qui présente ce type de fonctionnement, il devient intéressant de reconnaître certains indices et d'être ainsi en mesure de réagir. Nous pouvons ainsi obtenir plus de précision de l'autre, clarifier nos propres idées et ne pas nous engager dans un problème émotionnel. Nous demeurons objectifs face aux renseignements reçus.

Selon Leslie Cameron-Bandler, une des personnes ressources qui a participé à la recherche et au développement de la PNL, le métamodèle est basé sur nos intuitions. En devenant conscient de ses intuitions, il devient facile d'apprendre à utiliser ces techniques. Nos intuitions sont habituellement représentées par l'un ou l'autre des systèmes représentatifs: visuel, auditif, kinesthésique.

Si vous me dites: «*le cycliste est pourchassé*», mon intuition me dit qu'il manque quelque chose: une image incomplète? Je ressens la vitesse de course, la fatigue, le stress engendré par la poursuite... pour enfin me demander «par QUI?». Je veux obtenir le maximum de renseignements en posant cette question du métamodèle.

LE RECADRAGE

Chacun ayant sa propre perception du monde, il est important de reconnaître le modèle des autres et de savoir s'y adapter. Apprendre à changer le contexte dans lequel on perçoit les choses nécessite de la flexibilité. Il faut se mettre dans la peau de l'autre pour saisir son point de vue, questionner pour comprendre et transformer sa perception. Recadrer implique un changement, l'art de se situer sur un autre plan. Pierre se plaint de ses voisins qui se mêlent de ce qui ne les regarde pas, je lui réponds: «*Tu es chanceux que tes voisins s'inquiètent pour toi, de nos jours c'est tellement rare de connaître ses voisins!*»

Christian trouve le trajet long pour se rendre à son chalet, sa sœur lui répond: «*Quelle belle occasion de communiquer pendant le trajet! On n'a jamais le temps de se parler sans interruption!*»

L'avantage d'apprendre à faire du recadrage permet de dédramatiser certaines situations difficiles, de sortir d'un piège ou de remonter le moral de quelqu'un.

Comment faire?

L'objectif du recadrage est de changer de perception, celle de l'autre, ou la nôtre, si on veut!

Différentes possibilités existent. On peut recadrer le contenu, ou le contenant. Je m'explique. Recadrer le contenant est acquérir la capacité d'accepter la situation telle qu'elle est et de lui donner une nouvelle direction. Par exemple, Christian trouve que le voyage est long: sa sœur accepte ce fait, mais elle transforme ce désavantage en occasion de communiquer. C'est une façon de modifier sa façon de voir, d'entendre ou de ressentir une situation. On recadre le contenant lorsqu'on modifie, interchange ou transforme les qualitatifs d'une situation: difficulté en défi, laideur en subjectivant selon les goûts, impatience en apprentissage de patience ou en hâte de réaliser... Le contenu demeure le même, ce qui le rend négatif devient positif.

Le contenu est recadré lorsqu'on change sa vocation. Le concept de recyclage est un exemple de recadrage. On transforme les déchets organiques en compost qui deviendra du fertilisant, on réutilise des sacs jetables en leur donnant une nouvelle fonction, on réévalue la fonction de divers objets pour les réutiliser: des pneus usagés deviennent de l'isolant, des boîtes de carton, des bardeaux pour toiture.

Dans nos relations quotidiennes avec les autres, nous pouvons faire la même chose en transformant une situation négative en occasion positive. Le grand avantage du recadrage est de nous rendre la vie plus agréable. Développer ses possibilités créatives afin de transformer un problème en solution s'avère bénéfique autant pour nous-même que pour notre entourage.

Recadrer le contenu, c'est transformer la fonction du sujet. Les grands créateurs sont habiles à transformer une situation difficile en situation positive. Ils modifient le rôle d'une chose et lui donnent une nouvelle vie. L'invention du radar en est un exemple. Lors de la Deuxième Guerre mondiale, on plaçait un observateur sur le toit des édifices afin de surveiller l'arrivée d'avions ennemis et de les signaler avant qu'ils n'attaquent. Or, un de ces observateurs n'appréciait pas de passer ses nuits sans dormir. Alors, il décida de trouver un moyen de se faire remplacer par une machine. C'est ainsi qu'est né le radar. La fonction de surveillance était maintenant asssurée jour et nuit sans obliger quelqu'un à vivre sur le toit des édifices. J'en ai tiré un dicton: *La paresse est la mère de l'invention!* Mon recadrage de la paresse...

Le cadrage du contenu est une excellente technique de créativité. À mes ateliers en résolution de problèmes, j'encourage les participants à regarder leur problème sous un angle nouveau. Par exemple, on inverse le problème: «*Il faut acheter des ordinateurs pour le bureau;* qu'arriverait-il si on n'en achetait pas?» Cette forme de questionnement oblige l'autre à réévaluer l'importance du problème et permet de confirmer son idée ou de chercher de nouvelles pistes. Le problème n'est peut-être pas le besoin de nouveaux ordinateurs, mais plutôt la nécessité de former le personnel à l'utilisation maximale des ordinateurs existants!

Un de mes clients manufacturiers a des difficultés d'approvisionnement: les pièces pour la fabrication d'un nouvel appareil ne sont pas livrées. Plutôt que de mettre le personnel à pied jusqu'à l'arrivée des pièces manquantes, il leur offre des sessions de formation. Il transforme la frustration et le manque de travail en occasion d'apprentissage pour ses employés, leur permettant de garder leur poste, et leur offrant la chance de se perfectionner tout en évitant les problèmes de réengagement. Situation problématique recadrée en occasion de perfectionnement. Tout le monde y gagne!

Il y a quelques années, j'habitais chez une de mes amies à Rennes. Nous faisions parfois la cuisine à l'appartement. J'étais découragée de la petitesse de la pièce qui avait très peu de place de rangement et pas de lave-vaisselle. Je me demandais comment mon amie arrivait à produire de si bons repas dans un espace tellement exigu! Un jour, je l'observai travailler. Elle avait développé des habitudes d'efficacité qui m'influencent encore aujourd'hui. À mesure qu'elle utilisait un instrument, un bol, elle le lavait aussiôt et le réutilisait pour la prochaine opération. Chaque geste était calculé, aucun mouvement n'était inutile. J'ai compris qu'un lave-vaisselle encourageait l'utilisation de beaucoup plus de bols, ce qui entraînait la nécessité de posséder une gamme plus complète d'ustensiles... et de trouver où les ranger! J'ai recadré la «petite» cuisine en apprentissage d'efficacité!

Le fait de recadrer nous permet de mieux apprécier, en les transformant, les circonstances pas toujours désirables *a priori*.

EXERCICE

Recadrez les situations suivantes, soit le contenant, soit le contenu.

«Je suis trop grosse! J'ai de la difficulté à suivre un régime.»

«Je viens de perdre mon emploi, que faire?»

«Je prends trop de temps à me mettre au travail.»

«Mon appartement est trop petit mais je ne veux pas déménager.»

«Je dois payer de l'impôt cette année, c'est la première fois que cela m'arrive: d'habitude je reçois un remboursement du gouvernement!»

«Les rendez-vous chez le dentiste me coûtent trop cher et je n'ai jamais de caries, à quoi cela sert d'y aller!»

«Mon auto est trop vieille, est-ce que je dois la vendre?»

Stratégies possibles

Transformer les mots clés:

> *difficulté à suivre un régime* pourrait être transformé en difficulté à manger beaucoup... (contenu)
>
> *trop grosse* par rapport à quoi? à qui? (contenant)
>
> *perdre mon emploi...* permet de gagner... du temps, la chance de me réévaluer, le temps de changer d'orientation, de faire le bilan de toutes mes forces, de mes possibilités et de mes acquis depuis que je travaille... le temps de faire autre chose, nouvelle carrière à découvrir (contenu).
>
> *prendre trop de temps avant de...* faire des gestes impulsifs, éviter de prendre des risques inutiles, donc être prudent... (contenu)
>
> *trop petit...* moins de ménage à faire (contenant)
>
> *payer de l'impôt...* donc avoir gagné plus d'argent! (contenu)
>
> *jamais de caries....* vérification gratifiante à chaque visite! (contenant)
>
> *auto trop vieille...* quels arguments est-ce que j'utiliserais si je devais la vendre moi-même! (contenant)

Apprendre à recadrer permet de changer notre état physiologique et psychologique. De découragé, on devient encouragé, de pessimiste, on devient optimiste.

Autre possibilité

Nous avons appris à nous mettre dans des positions différentes pour être mieux en mesure de réagir à différentes situations. Si nous demeurons en première position (subjective), il est difficile de recadrer. En se positionnant en deuxième (à la place de l'autre) ou en troisième place (en observateur), nous facilitons le recadrage. Par exemple, lorsque je dois garder ma vieille auto alors que j'aurais envie de la changer, mais que je n'en ai pas les moyens. Si je me positionne en tant qu'acheteur de voiture usagée, qu'est-ce que je rechercherais? C'est surprenant jusqu'à quel point on peut se convaincre des avantages de garder son auto! On peut penser au coût d'achat d'un nouveau modèle, incluant l'augmentation des assurances, des plaques d'immatriculation...

On peut ainsi apprécier les économies réalisées en conservant le «vieux» modèle. En se transformant en acheteur, on change de perspective et il devient plus facile de prendre une décision acceptable.

Plusieurs marchands nous offrent des économies plutôt que de présenter le produit comme tel. Lorsqu'on nous propose un crédit d'achat sur des meubles, *«vous ne payez qu'à partir du mois d'octobre prochain»*, on fait de la vente avec une technique de recadrage. On ne donne pas le prix parfois élevé du produit à l'acheteur, on l'amène sur la piste de l'économie. On a changé son rôle de consommateur en rôle de personne responsable, qui sait planifier son budget et faire des économies. Dès qu'on change de rôle, on peut développer l'habileté à faire du recadrage pour soi et pour les autres.

Une autre perspective à explorer est la perception d'un problème dans son ensemble ou en partie.

Les gens de détail versus les globaux

Lorsque Jean et Suzanne envisagent le déménagement du bureau pour le 15 août prochain, il y a souvent des étincelles avant qu'ils n'arrivent à se mettre d'accord, non parce qu'ils ont des destinations différentes en vue, mais parce que leur approche est presque contradictoire. Suzanne aborde le problème dans son ensemble: *«Il faut faire un plan d'action.»* *«Il ne faut pas oublier de faire le changement d'adresse sur la correspondance»*, répond Jean, qui ne veut pas oublier de détails.

Et les voilà partis dans deux directions différentes! L'une parle de projet global, avec un choix de mots ayant un sens général, l'autre parle d'organisation de détails, avec des mots bien précis. Pour arriver à se mettre d'accord, ils auront à se rejoindre sur le même plan: ou bien Jean acceptera de penser d'abord au projet selon le plan d'ensemble proposé par Suzanne, puis de le décomposer en activités plus précises, ou alors Suzanne, partant des détails (prix et disponibilité des déménageurs, changement d'adresse, téléphone) en arrivera à généraliser pour englober le projet dans son ensemble. Chacun aborde le même projet de façon différente.

Suzanne perçoit les choses dans leur ensemble d'abord, c'est une personne «globale», alors que Jean perçoit les détails. L'un et l'autre finissent par se rejoindre au moment où ils sortent de leur premier réflexe. Ils deviennent complémentaires dans leur approche.

Pour se rejoindre, l'un et l'autre doivent trouver un terrain d'entente. En identifiant l'objectif du projet, le déménagement, ils partent sur la même longueur d'ondes.

Imaginez deux personnes du type «global» ensemble. Leur univers est perçu en termes généraux, sans jamais toucher aux détails d'organisation ou de réalisation. Pour lancer un projet avec une vue d'ensemble, ces personnes ont la vision nécessaire. Un patron «global» avec une vue d'ensemble du fonctionnement de son service, parle en généralités et ne s'attarde pas aux méthodes de classement de sa secrétaire. Celle-ci, du type «détail», n'a pas la compréhension de l'ensemble des responsabilités de son patron. Pour bien fonctionner avec ce type de patron, elle doit lui transmettre les grandes idées, sans lui donner trop de détails.

À l'inverse, deux personnes du type «détails» vont s'attarder sur des peccadilles sans jamais savoir dans quelle direction s'orienter. Cette équipe produira des documents très détaillés, précis, mais pas toujours reliés à l'objectif général prévu.

Avec un patron style «détail», il faut opérer de façon plus précise. Si son employé est «global», il sera peut-être perçu par son patron comme étant inefficace, incomplet ou manquant de rigueur. L'employé percevra son patron comme un maniaque des détails!

Ce n'est probablement pas le cas, mais les tempéraments de l'un et de l'autre font en sorte que **leur «carte du monde» provoque des attentes différentes.**

Lorsqu'on travaille en équipe, il est préférable de connaître son propre type de fonctionnement et de s'entourer de coéquipiers complémentaires. Nous pouvons être global, ou détail à différents degrés, tout le monde n'est pas un extrême ou l'autre!

Exercice

Décrivez l'endroit où vous habitez.

_____

_____

_____

Votre langage reflète votre tempérament et il est utile d'apprendre à reconnaître à quel niveau se situent les idées des uns et des autres. **On peut classer les mots par catégories: du global au détail, de l'abstrait au concret ou du général au particulier, de l'ensemble à ses parties.** Selon les mots que vous aurez choisis pour décrire votre lieu de résidence, vous constaterez que vous avez soit opté pour une description générale (appartemant de X pièces, un salon, tant de chambres, etc), soit choisi de décrire en premier la cuisine avec tout son équipement, puis le salon avec le même luxe de détails, puis votre chambre à coucher, etc.

Votre approche révèle votre type de mode de pensée et permet de comprendre votre comportement. Ce genre de renseignements s'avère utile pour deux personnes qui s'apprêtent à vivre ensemble! Pour lui, il ne faut pas changer le cendrier d'endroit, toujours remettre le bouchon du tube de pâte dentifrice, ranger les aspirines sur la deuxième tablette de la pharmacie, et non la première... Vous avez deviné, il est du type détail. Quand il raconte une histoire, tout y passe, l'heure précise à laquelle c'est arrivé, l'angle dans lequel était stationnée l'auto, ce qu'il portait ce jour-là, la couleur de sa cravate, etc.!

Pour elle, ces détails ont peu d'importance. Tant que la pâte à dent est rangée, les aspirines dans la pharmacie, le cendrier dans le salon... que dans l'ensemble, tout est rangé; notre «globale» perçoit son environnement différemment de son copain «détail».

Comment reconnaître le niveau de détails versus le général

Prenons le concept MAISON:

en généralisant, la maison fait partie de:
- habitation, complexe résidentiel, banlieue, ville...
ou encore est un exemple de:
- bâtiment, immeuble, construction...
en décomposant, on a des *types* :
- maison de ville, de campagne, chalet, cabane...
- unifamiliale, duplex, triplex, appartement...

ou encore les *parties* :

- mur,	fondation,	toiture
[	[	[
bois, béton, briques	creusée	plate, à pignon, en pente...
[	[	[
planches	blocs de béton	bardeaux, goudron
[	[	
pin, épinette		cèdre, asphalte

ou les pièces:

salon,		cuisine, chambre
[	[	[
plancher	comptoirs	murs peints, tapissés
tapis, bois	évier	fenêtre
[	[	[
meubles...	équipement...	meubles...

catégories   détails détails détails

Plus on s'élève dans la hiérarchie des idées, plus on parle de concept abstrait.

Pour monter dans la hiérarchie, je peux demander: «Dans quel but?», «Pourquoi?»

Stratégies pratiques

Comment reconnaître les abstractions et les ambiguïtés dans notre vocabulaire et celui des autres? Comment aider quelqu'un à devenir plus précis?

Exercice: Avec le mot auto, élargissez le concept en devenant plus général et morcelez en devenant plus précis.

catégorie
plus grande...
catégorie
    plus grande...

AUTO

   plus petite partie...   *type de...*

   [[

   [[

Questions à poser si on veut passer du particulier au général

1- *C'est un exemple de quoi? Fait partie de quoi? (une maison est un exemple d'habitation, l'habitation est un exemple dans un complexe résidentiel qui fait partie de la ville, qui fait partie de...*

2- *Dans quel but? (pour se loger)*

3- *Qu'est-ce qui est important dans ce concept? (se protéger des éléments, le confort...)*

Réponses

Avec l'automobile, il est facile de se promener d'une catégorie à l'autre. Soit on généralise en devenant plus abstrait, soit on subdivise en parties ou en catégories, ce qui rend le vocabulaire plus concret, plus précis.

Je décompose:

a) j'identifie des groupes ou des catégories d'autos: compacte, sous-compacte, avec des exemples pour chacune.

b) une autre façon de morceler est de considérer les parties des portes, des roues, des vitres. Si je décompose les roues, je parle du pneu, de l'enjoliveur... puis du tambour, des goujons...

Pour devenir plus abstrait, j'englobe un concept plus abstrait que l'auto: le transport. Observez que le mot «transport» est une abstraction que je ne peux toucher ou mettre dans une brouette, si large soit-elle! Plus haut que «transport», j'aurais «mouvement», et pour avoir du mouvement, cela implique qu'il y a existence.

On s'élève dans les grandes abstractions!

Si je parle des roues et que je veux généraliser, je demande à quoi *servent* les roues. Le but des roues est de faire rouler l'auto. Elles sont au service de l'auto. Chaque partie ou sous-section doit être au service d'une entité plus grande.

Si mes roues d'auto décidaient de se développer à un rythme de croisière sans considérer les besoins de mon auto, j'aurais des problèmes! Mon auto ne serait plus fonctionnelle.

Donc, la façon dont une personne perçoit une tâche reflète son mode de fonctionnement, global versus détail, et l'intention derrière une communication n'est pas toujours comprise. Lorsqu'on apprend à différencier le détail du général, on peut recadrer les renseignements et comprendre la façon d'agir de l'autre. Avec une personne «détail», je recadre en lui posant des questions permettant d'avoir une vue d'ensemble plus générale.

Avec une personne de type «globale», je cherche à décomposer les renseignement pour devenir plus précis.

Applications

Pour acquérir de la flexibilité, je vous suggère de faire le jeu de généralisation ou de décomposition avec différents concepts et d'identifier les possibilités de niveau.

Exercice avec une phrase

Pierre et Marie n'arrivent pas à se mettre d'accord pour leurs vacances:
- *«J'aimerais bien aller à la mer cette année»*, dit Marie.
- *«Çà coûte trop cher dans le Maine, on ne trouve jamais d'hôtel à prix abordable! Et la Virginie est trop loin!»*, répond Pierre.

De quelle façon pourriez-vous faciliter la discussion entre Pierre et Marie?

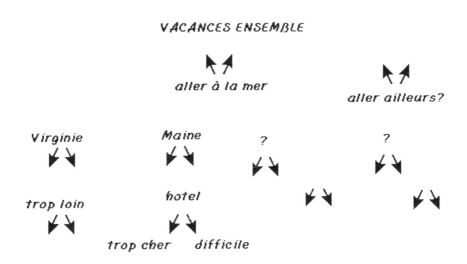

Donc, on peut reconnaître certaines caractéristiques chez différents types de personnes par la façon dont leur langage exprime leur mode de pensée.

Apprendre à décomposer ou à généraliser à volonté permet de s'adapter au contexte des personnes avec qui on discute.

Reconnaître le niveau de discussion de l'autre pour obtenir un accord ou une entente dans une négociation personnelle ou au travail rend la communication plus facile et plus agréable.

Recadrage

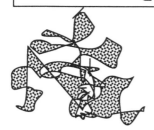

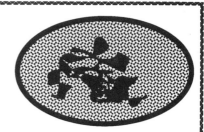

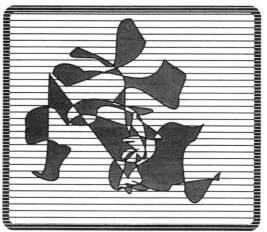

EXPÉRIMENTER

*différents
cadres,
formats,
fonds,
couleurs,
intensité...*

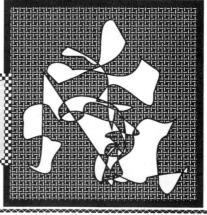

*observer
les effets
selon
l'expérience*

Expérience personnelle

Si j'ai le souvenir d'une expérience désagréable, j'ai plusieurs choix quant à ma façon de me souvenir de cette expérience. D'abord, je dois prendre conscience que **l'expérience comme telle n'existe plus, il ne reste que le souvenir que je veux bien conserver.** Ne vous est-il pas déjà arrivé de rencontrer une amie d'enfance et vous rappellez différentes situations partagées ensemble. Certains souvenirs vous reviennent à l'esprit, mais d'autres anecdotes qu'elle vous raconte ne vous disent rien du tout? Certains psychologues appellent cela la mémoire sélective. Qu'est-ce que c'est, en fait, la mémoire sélective? Le mot le dit bien: un choix de souvenirs que notre cerveau nous ramène à l'esprit pour toutes sortes de raisons que je n'aborderai pas ici. Je peux simplement vous suggérer que peut-être les souvenirs qui reviennent en suface sont ceux qui, pour une raison ou une autre, ont produit un effet sur vous. Le cerveau a tout enregistré, mais ne rend pas tout sur commande!

Somme toute, les souvenirs sont influencés par un tas de facteurs dont nous avons plus ou moins conscience.

Qu'est-ce qui arriverait si on décidait de modifier la façon dont on se remémore nos expériences?

Qu'est-ce qui nous empêche de modifier ces souvenirs?

À quoi ressemble un souvenir embelli? Plus ensoleillé? Plus clair? Plus grand? Après tout, ce n'est qu'un souvenir, l'expérience est passée depuis belle lurette!

Si on choisit d'embellir un souvenir pour le transformer en expérience positive, pourquoi ne pas transformer une mauvaise expérience pour qu'elle ait moins d'effet négatif sur nous?

Notre cerveau ressemble un peu à un ordinateur où on peut modifier la programmation à volonté.

Exercice

Rappelez-vous une expérience plus ou moins agréable, choisissez-en une de peu d'importance pour ce premier exercice.

Portez votre attention sur le contexte dans lequel se situe cette expérience.

En tant qu'observateur, comment la percevez-vous? De quelle grandeur est l'image? Quelles couleurs observez-vous? Pâles ou foncées?

Le fond de scène est-il clair, obscur, précis, flou?

Voyez-vous des détails ou une image globale?

Faites-en le portrait, tel quel.

Si je vous demande d'agrandir cette image?

De la rendre plus précise?

D'augmenter l'éclairage? la luminosité?

De l'embellir?

Mettez-y un cadre, du style qui vous plaît... modifiez ce cadre, changez de style. Si vous avez choisi un cadre moderne transformez-le en cadre très large avec des dorures, par exemple, laissez trotter votre imagination...

Agrandissez-le... transformez l'image dans le style d'un peintre classique, d'un Picasso, d'un Van Gogh, votre propre style... .

Maintenant, comment percevez-vous votre nouvelle image?

Ne vous semble-t-elle pas plus belle, plus agréable?

Mettez-vous dans la nouvelle image...

Votre expérience vous laisse-t-elle un nouveau souvenir? Votre perception de cette expérience n'est-elle pas plus agréable? Plus belle? Plus intéressante?

Le cerveau ne fait pas la différence entre une expérience vécue et une expérience imaginée. N'est-il pas plus intéressant de recadrer nos expériences pour les transformer en souvenirs bénéfiques?

Conclusion

Nous savons maintenant comment modifier notre perception d'une situation, que ce soit la transformer en la morcelant en plus petits morceaux on en la grossissant pour avoir une compréhension globale.

On peut modifier le contexte et donner un nouveau sens à une expérience perçue comme négative. Encore, il est possible d'orienter le sens d'un problème en le transformant en occasion d'apprendre à découvrir les avantages, l'autre côté de la médaille (le contenu).

Finalement, nous avons les moyens de métamorphoser un souvenir désagréable en expérience positive si nous modifions les images dans notre tête, les agrandissant, les illuminant, les encadrant différemment.

CONCLUSION

La PNL au quotidien

La PNL décrit les dynamiques fondamentales entre le cerveau (neuro), le langage (linguistique) et la façon dont l'interaction des deux influence notre corps et nos comportements appris (programmation).

«La PNL est une méthodologie de la communication et de la possibilité de générer le changement. Son originalité est de rendre explicites les processus mentaux et physiologiques qui sous-tendent le comportement et la performance des communicateurs les plus créatifs...» puis de traduire ces habiletés en modèles faciles à apprendre et à reproduire.

En d'autres mots, observer, traduire et utiliser l'information acquise en outil pratique pour ses propres besoins.

L'objectif de ce livre était de démystifier la PNL. Nous avons abordé la communication, son pouvoir, son influence et les différents codes utilisés par chacun de nous.

Puis, nous avons vu quelques techniques de changement qui sont simples, faciles à apprendre et à utiliser dans la vie de tous les jours afin de nous rendre la vie plus agréable.

Chaque individu possède les ressources nécessaires pour effectuer un changement. Il s'agit de les identifier et de découvrir les moyens de s'en servir.

Nous avons appris à nous rendre compte de ce que nous faisons, des effets de nos actions, de nos paroles et de nos comportements et à prendre le contrôle pour obtenir le résultat que nous désirons. Cela implique de nous bâtir une banque de ressources disponibles nous donnant des choix. Nous avons développé la FLEXIBILITÉ.

Cette flexibilité est essentielle pour nous adapter aux circonstances tout en nous respectant nous-mêmes, en harmonie: c'est ce qu'on apelle être ÉCOLOGIQUE.

Les lecteurs qui aimeraient communiquer avec l'auteur peuvent s'adresser aux Éditions de Mortagne.

Les Éditions de Mortagne
a/s Hélène DeSerres
250, boul. Industriel
Bureau 100
Boucherville (Québec)
J4B 2X4
Canada
Tél.: (514) 641-2387
Téléc.: (514) 655-6092

BIBLIOGRAPHIE

ANDREAS, Steve, ANDREAS, Connirae, *Change your Mind and Keep the Change*, Moab, Utah, Real People Press, 1987, 192 p.

BANDLER, Richard, GRINDER, John, *The Structure of Magic*, Palo Alto, Cafilornia, Science and Behaviour Books, Inc., 1975, 225 p.

BANDLER, Richard, *Using your Brain for a Change*, Moab, Utah, Real People Press, 1985, 172 p.

JAMES, Tad, WOODSMALL, Wyatt, *Time Line therapy*, Cupertino, California, Meta Publications, 1988, 274 p.

LABORDE, Genie Z., *Influencing with Integrity*, Palo Alto, California, Syntony Publishing, 1983, 230 p.

HALL, Edward T, *The Hidden Dimension*, United States of America, Anchor Books, 1969, 215 p.

HALL, Edward T, *Le langage silencieux*, Tours, Édition du Seuil, 1984, 237 p. (Traduction de *Silent Language*, New York, Doubleday & Company, Inc, 1959.)

LEWIS, Byron A, PUCELIK, R. Frank, *Magic Demystified,* Lake Oswego, Oregon, Metamorphous Press, 1982, 160 p.

ROBBINS, Anthony, *Unlimited Power*, New York, Ballantine Books, 1986, 420 p.

Achevé d'imprimer
en novembre 1991 sur les presses
des Ateliers Graphiques Marc Veilleux Inc.
Cap-Saint-Ignace, Qué.